Message spécial

IL Y A DANS CE LIVRE DES PAGES DE JEUX TROP COOL RIEN QUE POUR TOI (Des dessins, des coloriages, des quiz, etc.)

Regarde ! D'une seule main !

Impressionnant.

Moi, j'ai dessiné ça.

C'est moi !

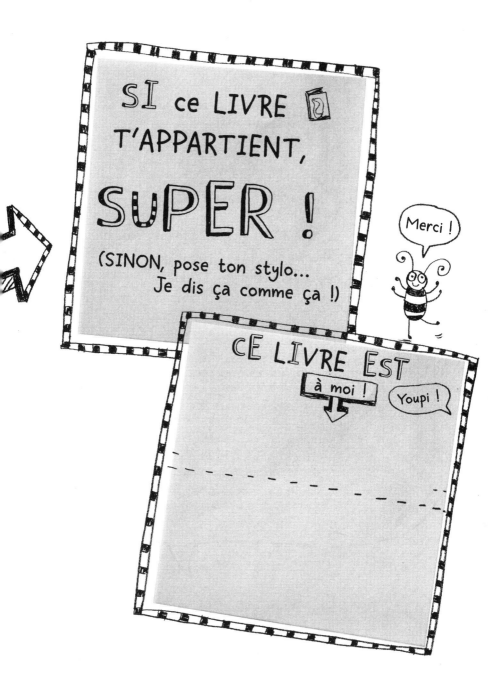

Déjà parus :

Tom Gates, c'est moi !
2012

Excuses béton (et autres bons plans)
2012

Tout est génial ! (ou presque…)
2013

Trop top ! (pas vrai ?)
2014

Super doué (pour certains trucs)
2015

Friandises à gogo (ou pas)
2015

Veinard (mais pas trop)
2016

Oui ! Non. Peut-être…
2017

Premier de la classe (ou presque)
2018

Édition originale publiée en 2016 sous le titre *Super Good Skills (Almost…)*
par Scholastic Children's Books, une marque de Scholastic Ltd
Euston House, 24 Eversholt Street, London, NW1 1DB, UK

Pour l'édition française : © Éditions du Seuil, 2018
ISBN : 979-10-235-1014-0

Mise en page : Philippe Duhem

Conforme à la loi n° 49-956 du 16 juillet 1949
sur les publications destinées à la jeunesse.

www.seuil.com

J'ESPÈRE que tu es attentif.

MERcI

**comme toujours
à toute l'équipe super cool
de Scholastic pour son soutien
et son enthousiasme. Bises.**

HÉ !

**Pip, Chris, Jude, Kit, Rory et Thea.
Je VOUS dédie ce bouquin !
(Continuez de propager la parole
de Tom Gates !)**

**Et un grand merci
rien que pour
Georgina. Bises.**

Des pages pour TOI !

Curieusement, M. Fullerman a été de mauvaise humeur toute cette semaine. Je ne sais pas pourquoi. Il devrait pourtant être CONTENT, ☺ puisqu'on arrive à la fin du TRIMESTRE.

M. Fullerman de mauvaise humeur

EN TOUT CAS, MOI, JE LE SUIS !

Youpi !

(Mon saut de joie de fin de trimestre !)

M. Fullerman n'arrête pas de SOUPIRER et de froncer les sourcils en disant des trucs du genre :

> Qu'est-ce que vous ne comprenez PAS dans la phrase « ASSEYEZ-VOUS » ?

> RANGEZ vos chaises s'il vous plaît. Ne les faites pas RACLER par terre...

PFFF

> On ne pose PAS les livres sur sa tête.

> Les stylos sont faits pour écrire et dessiner. À QUOI SERVENT-ILS ?

Je *pense* que M. Fullerman attendait qu'on répète tous...

> # À ÉCRIRE ET À DESSINER, MONSIEUR.

Mais Brad Galloway a décidé que les stylos feraient d'**EXCELLENTES** baguettes de tambour aussi, et il nous en a fait une démonstration spectaculaire contre sa table.

– POSE CES STYLOS, Brad.

C'est ce qu'il a fait...

mais pas comme il aurait dû.

Ils ont volé dans les airs et ont raté de peu Ambre, Leroy...

→ ▱ → →   et **M**. **F**ullerman.

Oh-oh... Brad a dû aller s'asseoir dans le
couloir pour RÉFLÉCHIR à sa bêtise. Et pendant
tout le reste du cours, on a été obligés de
garder le SILENCE
ce qui n'a pas été facile pour moi avec tous
les trucs qui me trottaient dans la tête et
que j'aurais voulu dire.

Et c'était encore PLUS DUR de se concentrer
avec Brad qui n'arrêtait pas de se montrer à
 la porte dès que M. Fullerman regardait
ailleurs. J'ai essayé de ne pas rire, mais
la tête de M. Fullerman n'aidait pas. Ça
m'a donné des idées de dessins...

P as de doute, c'était BEAUCOUP plus amusant que de faire mes exercices. REMPLIS les bulles comme tu veux...

TOUS ceux qui n'aiment pas les GÂTEAUX sont des IDIOTS.

Ha ha !

LA RÉCRÉ :

 Derek est déjà en train de m'attendre.

On doit poursuivre une conversation très importante commencée ce matin à propos d'une GROSSE décision.

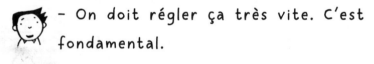 Dès que je le vois, je lui demande :

— Alors, tu as choisi ?

— Non. C'est DUR, de trancher.

— On doit régler ça très vite. C'est fondamental.

— Je sais, je sais. Je regrette de ne pas avoir PLUS de temps !

Pendant qu'on discute QUOI faire, des copains nous rejoignent.

– Ça a l'air GRAVE, commente Balèze.

– C'est grave ! Ça pourrait faire toute la différence entre une **BONNE** répétition du groupe et une **HORRIBLE**.

Norman entend le mot RÉPÉTITION et ça attire son attention.

J'ai pas loupé de RÉPÉTITION, si ?

– Non... désolé, Norman. On n'a pas eu encore l'occasion de te parler de quoi que ce soit.

– On doit décider d'un truc vraiment très IMPORTANT, je dis en prenant un ton théâtral.

Pendant que j'ESSAYE de trouver le meilleur moyen d'en parler à Norman, Marcus vient s'en mêler.

– Qu'est-ce que vous racontez, tous les deux ?

– **S**i tu étais à notre place, Marcus, tu hésiterais aussi.

(Il serait sûrement bien PIRE.)

– **P**eut-être qu'on pourrait vous aider si vous nous disiez de quoi il s'agit, propose Balèze.

 – **A**lle**z** !° lance Florence.

– Il faut qu'on choisisse QUELQUE CHOSE, explique Derek.

– **QU'EST-CE QU'IL FAUT CHOISIR ?**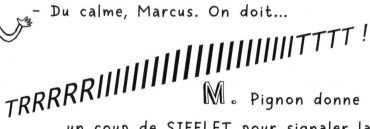

 – Du calme, Marcus. On doit...

TRRRRRIIIIIIIIIIIIIIIIIIIIIIIIIIIIIIIITTTT !

M.° Pignon donne un coup de SIFFLET pour signaler la fin de la récré.

– **V**ITE ! crie Marcus.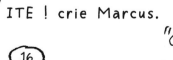

– D'accord !
On DOIT
décider...

QUEL PARFUM D'ALIENS

CROUSTILLOS

on va prendre pour notre

RÉPÉTITION.

- C'est tout ? s'écrie Marcus.
Puis il s'en va en grognant, comme
si on lui avait fait perdre son temps.

Grrr...

AMY et Florence lèvent les yeux au ciel.

- Ouf ! fait Norman.
J'ai cru que vous vouliez
changer de batteur !

pffff...

- Pas question !

Je le rassure.

18

- C'est très SÉRIEUX. Vous vous rappelez la fois où tout ce qu'on avait, c'était des **BISCUITS AUX RAISINS SECS** ? je rappelle à Derek et à Norman.

- Comment oublier ? Ça a été LA PIRE RÉPÈTE de tous les temps, répond Derek avec un frisson.

- Même moi, je déteste ces trucs, ajoute Norman.

Beurk !

FLASHBACK

Biscuits aux raisins secs
(On dirait des mouches mortes)

AVANT

APRÈS

Je crois que tout le monde comprend pourquoi il est si important de trouver le bon goûter, maintenant.

Tout le monde <u>sauf</u> **AMY**, qui trouve toujours mon dilemme de goûter complètement stupide. Je le sais parce qu'elle me le dit en classe dès que je m'assois.

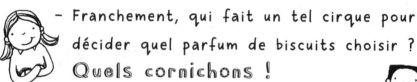

— Franchement, qui fait un tel cirque pour décider quel parfum de biscuits choisir ? **Quels cornichons !**

— **N**on, des chips. **D**es Aliens Croustillos, plus exactement, je réplique, pour essayer d'être **DRÔLE.** ☺

— **H**ilarant, commente **AMY**, mais pas sur un ton **AMUSÉ**.

Je devrais sûrement changer de sujet ou me <u>taire</u>, mais ce n'est pas ce que je fais.

— Le problème, j'insiste, c'est que j'adore les **ALIENS** goût **FROMAGE**. Tu sais, ceux qui sont en forme d'**ÉNORMES** pieds.

– **Mais** Derek préfère le goût oignon, je poursuis. Et on vient d'apprendre qu'il existe deux nouveaux parfums : poulet **fumé**, et un  super tentants. Bref, ça POURRAIT être délicieux mais on ne le sait pas encore vu qu'on n'a pas eu l'occasion de les goûter.

– Ça a l'air RÉPUGNANT, commente **AMY** en faisant la grimace.

– Les PIEDS au **FROMAGE** ont l'air répugnants, et pourtant, c'est délicieux, je fais remarquer. Ma mère ne nous demande jamais ce qu'on veut comme goûter, et je ne voudrais surtout pas passer à côté. Tu comprends maintenant pourquoi c'est **SI** important ?

– **P**as vraiment.

(Silence gêné...)

J'essaye de trouver un autre truc à dire quand **AMY** me pose une question.

- Tom, est-ce que ton groupe s'appelle toujours CLEBSZOMBIES ?

- OUI !

- Vous répétez souvent ?
- TOUT LE TEMPS. C'est super important si
on veut devenir le 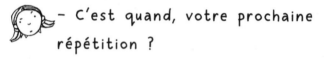MEILLEUR groupe du monde.
(J'exagère peut-être un peu.)

- C'est quand, votre prochaine
répétition ?

- Oh ! Euuuhhhh... je ne sais pas encore.

- Mais je croyais que vous répétiez tout
le temps ?

- Oui... On va sûrement se voir cette semaine.

 - Dès que ce problème de quatre-heures
sera réglé ?

- EXACTEMENT !

Marcus se redresse sur sa chaise et essaye
de dire à AMY que CLEBSZOMBIES
est un groupe NULLISSIME.

Nullissime

Je l'ignore et sors mon **emploi du temps scolaire.** Puis, comme un élève très organisé et raisonnable, je trace en **grosses** lettres, pour qu'**AMY** puisse lire ce que j'écris :

URGENT ET TRÈS IMPORTANT :

FIXER UN JOUR POUR RÉPÉTER.

(BIEN plus important que le goûter.)

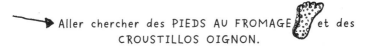

Aller chercher des PIEDS AU FROMAGE et des CROUSTILLOS OIGNON.

(J'écris cette dernière ligne en toutes petites lettres.)

VOILÀ, j'ai pris une décision.

C'est réglé maintenant.

FIN.

Je n'ai plus du tout besoin de penser à ces trucs de goûter.

(Enfin... rien qu'un petit peu.) ➡

IMAGINE d'autres GOÛTERS originaux et leurs parfums !

Qu'y a-t-il dans le bol ?

Croustillos étoiles et bouchées au fromage

Aliens aux épices

Coquillages salés aux oignons

Vers chocolatés avec vermicelles

MIAM

Goût saucisses et chaussettes

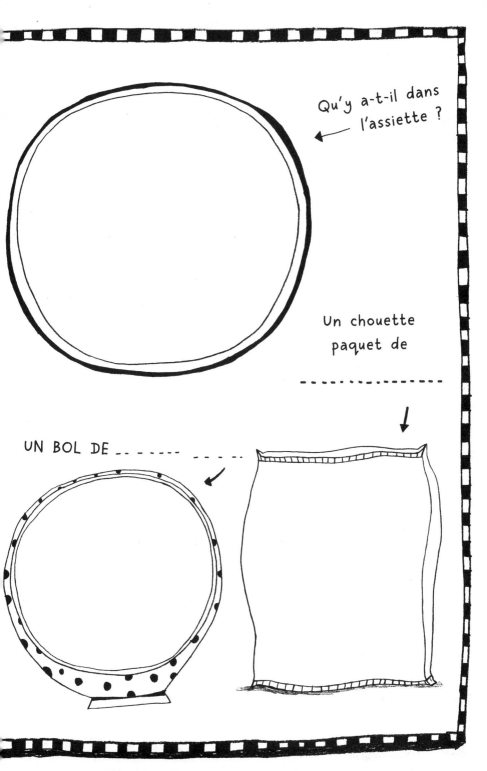

Qu'y a-t-il dans l'assiette ?

Un chouette paquet de

UN BOL DE _ _ _ _ _ _ _ _ _ _ _ _

PLEIN DE PLACE POUR IMAGINER TON PROPRE GOÛTER !
(Allez, tu sais que tu en as envie.)

Parfois, quand M. Fullerman revient de la récré, s'il a pris une bonne tasse de thé et un petit gâteau, il peut être tout sympa et joyeux.

Comme ça :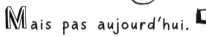

Mais pas aujourd'hui.

– ASSEYEZ-VOUS, et on ne joue plus avec son stylo, BRAD. Ça vaut pour vous **TOUS**, ajoute-t-il d'une voix vraiment sévère. **Maintenant, comme il ne reste qu'un jour d'école, j'ai prévu quelque chose de différent.**

Un murmure parcourt la salle pendant qu'on se dit tous : HOURRA ! Enfin un truc MARRANT à faire.

AUJOURD'HUI, nous allons jouer à des JEUX !

OUAIS !

Mais ça ne dure pas longtemps.

Dans ces chemises, il y a des devoirs **que vous devrez terminer avant la fin des VACANCES. Si** **votre chemise est vide, DONNEZ-vous une tape dans le dos.**

Je me tourne vers Marcus Meldrou, qui s'est lancé dans une danse **BIZARRE**.

– Pourquoi tu fais ça ? je lui demande.

– J'ai fini tous mes devoirs, alors je me donne une tape dans le dos.

Il s'arrête quand M. Fullerman lui remet une chemise bourrée de papiers.

– Il faut terminer cela, Marcus.

Hein ?

– MAIS, M'SIEUR...

– **Il n'y a pas de mais**, dit M. Fullerman d'une voix tremblotante.

Certains commencent à rigoler, parce qu'on aurait dit que M. Fullerman avait BÊLÉ comme un mouton. *Pas de Mêêêê...*

Hé ! Hé ! Hé ! Ha ! Ha ! Ha ! Hé Hé...

Hi! Hi!

Un regard appuyé de ses YEUX de lynx les fait taire rapidement. Marcus est vraiment dégoûté. On voit ce qu'il pense à la tête qu'il fait... Ce qui me donne une idée de dessin...

Voilà ce que ça donne...

Dessine Marcus et remplis les bulles. Il pourrait penser à des trucs très intelligents (ou pas).

Comment dessiner Marcus Meldrou

M. Fullerman fait le tour de la classe en nous distribuant les dossiers, mais il n'y a **TOUJOURS** rien pour moi.

Je continue mon jeu et, soudain, il se tient devant **MOI** et brandit une chemise en carton.

– C'est l'un des rares dossiers où il ne reste PLUS RIEN à faire, me dit M. Fullerman.

OUAH ! c'est super.

J'étais certain d'avoir encore des trucs à terminer, mais je ne vais quand même pas discuter avec M. Fullerman. Alors, pour être sûr que Marcus m'entende, je réponds d'une voix bien **FORTE** :

– Merci, m'sieur. J'ai essayé de faire de mon mieux. Est-ce que ça veut dire que je peux m'**AMUSER** maintenant ?

– Pardon, Tom, mais ce n'est PAS à toi que je parle. C'est le dossier d'Amy. Voilà le tien, et il est bien plein.

Plein

Oh... zut.
Il reste tellement de devoirs
à terminer que les feuilles
sortent de partout.
– T'en as encore plus
que moi à faire ! s'écrie
Marcus en RIGOLANT.

**– BRAVO, AMY ! Quant à vous deux,
il faut vous mettre au
travail,** ajoute
M. Fullerman.

– Comment tu fais pour toujours terminer tes
devoirs à temps ? je demande à **AMY**, qui
se contente de hausser les épaules comme si
c'était la chose la plus facile du monde.
(ça n'est vraiment pas le cas.)

- Je me sers de mon cahier de textes pour tout noter. Et dès que je termine un exercice, je le raye de ma liste.

- Tu fais une LISTE ?

- Euh, oui. Juste pour être sûre de n'oublier aucun exercice.

- Ouah... je marmonne.

Elle me montre son cahier de textes.

C'est TRÈS impressionnant.

Le mien ne ressemble pas du tout à ça.

Pas de liste

Des jeux

Des petits dessins

Je feuillette les pages jusqu'aux dates des vacances. Et ensuite, je montre à **AMY** ce que je fais pour avancer dans mes devoirs. (Pas grand-chose.)

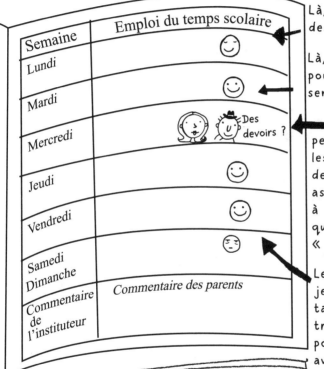

Là, c'est le début des VACANCES.

Là, je me détends pour toute la semaine.

C'est à peu près là que les parents me demandent : « Tu as des devoirs à faire ? » et que je réponds : « Non... »

Le dimanche soir, je me couche tard le temps de trouver une excuse pour ne pas les avoir faits, ou bien j'essaye de les faire à toute vitesse.

ÇA arrive TOUT le temps. 😕

Je fais un dessin à **AMY** pour que ce soit encore plus clair.

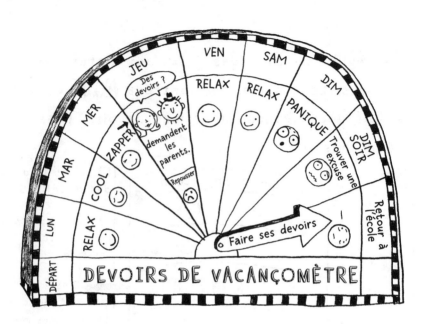

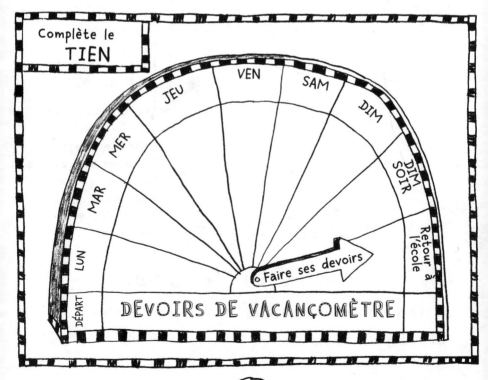

- Parfois, je PANIQUE et je cherche une excuse en même temps.
Je prends une expression paniquée qui fait RIRE AMY

- Je t'assure, je suis comme ça.

 — Oh, je croyais que c'était pour rigoler.

- Je vais faire comme toi et écrire une LISTE pour m'aider à TOUT faire, je chuchote à AMY.

 — Bonne idée, dit-elle.

Je commence à réfléchir à ma liste.

Qu'est-ce qui serait vraiment utile ?
Hmmm...

Je sais !
Je vais faire une GRANDE liste avec des...

EXCUSES POUR N'AVOIR PAS FAIT MES DEVOIRS.

Comme ça, en cas D'URGENCE, je pourrai regarder ma liste.

★ Une étoile pour celles que j'ai déjà utilisées.

★ ★ Deux étoiles pour celles qui peuvent encore me servir.

★ ★ Le chien a mangé mon devoir.

★ Le chien a enterré mon devoir.

★ Le chat a grignoté mon devoir.

Le chat s'est assis sur mon devoir.

Le chat s'est endormi sur mon devoir.

(Ces excuses fonctionnent avec les chats ou les chiens...)

★ Le chien a VOLÉ mon devoir.

★ ★ Papa a mis mon devoir dans la machine à laver.

★ ★ Mon devoir a pris la pluie.

★ J'ai découvert que ma sœur est une EXTRATERRESTRE et j'ai été trop choqué pour faire mes devoirs.

IMAGINE TA PROPRE LISTE D'EXCUSES POUR N'AVOIR PAS FAIT TES DEVOIRS

AMY regarde par-dessus mon épaule.

- C'est ÇA, ta liste ?

- C'est UNE de mes listes. Je vais aussi en faire une des DEVOIRS qui restent.
(Peut-être.)

- Tu as vraiment dit à M. Fullerman que ta sœur était une EXTRATERRESTRE ?
- Tu as déjà vu ma sœur ? C'est peut-être vrai.

- Je me rappelle la fois où tu as dit que ton sac était resté coincé dans un arbre, me dit **AMY**.

- Celle-là, je l'avais oubliée.
Je l'ajoute à la liste (avec une étoile). ★

Pendant que j'essaye de trouver d'autres excuses...

M. Fullerman apparaît soudain derrière moi. Je suis certain que les profs sont formés pour rôder sans bruit dans la classe, parce qu'on voit M. Fullerman à son bureau, et l'instant d'après, il est là alors qu'on ne l'a pas vu ni entendu bouger.

Je crois que je suis assez fort comme NINJA ; mais M. Fullerman est carrément HORS PAIR.

– En voilà, une LISTE intéressante, Tom, commente-t-il avant que je puisse la recouvrir.

(Oh-oh !)

– Je note des IDÉES pour ma rédaction, m'sieur, je dis en réfléchissant très vite.

 **– O**h, je vois ! Il y aura des excuses pour des devoirs non faits dans ton histoire ? J'ai hâte de la lire, Tom. Ça a l'air TRÈS intéressant.

– Ça le sera, m'sieur, je marmonne.

Oh, super, maintenant je vais devoir intégrer une de mes excuses à ma rédaction. Je ferai de mon mieux, mais ça ne va pas être facile...

☆ MA SŒUR EST UNE ☆
EXTRATERRESTRE
(C'est vrai)

Par Tom Gates
(qui n'est pas un extraterrestre)

Alors voilà, je me rendais tranquillement à l'école. J'avais fait mes devoirs à temps (comme toujours) et je les avais bien rangés dans mon cartable pour les rendre à mon professeur. Quand SOUDAIN, il y a eu une LUMIÈRE TRÈS VIVE dans le ciel.

J'ai plissé les paupières pour examiner la lueur qui flottait au-dessus de moi.

Moi→

QU'EST-CE QUE ÇA POUVAIT ÊTRE ? je me suis demandé (vous auriez pensé la même chose).

Est-ce que c'était un OISEAU ?

Est-ce que c'était un AVION ?

NON : c'était un OVNI !

(C'est un Objet Volant Non Identifié, au cas où vous ne le sauriez pas.)

Est-ce que  j'étais vraiment en train de regarder un vaisseau EXTRA-TERRESTRE ? OUI, ABSOLUMENT !

Parce que, alors, il a atterri juste devant moi (et je peux vous dire que ça m'a fait un CHOC). Je suis resté sans bouger et j'ai regardé les portes s'ouvrir lentement. Ça m'a rappelé à papy Bob, ⟶ Ouuuaaaah
quand il bâille.

Ensuite, des profondeurs toutes noires du vaisseau, un petit alien vert avec un seul œil et une seule jambe a surgi et s'est approché de moi en sautillant.

L'extraterrestre m'a jaugé du regard et m'a dit :

– Conduis-moi à ta SŒUR.

(Je ne m'attendais vraiment pas à ça.)

Alors, juste pour m'assurer que j'avais bien entendu, j'ai demandé : – Vous parlez bien de Délia ?

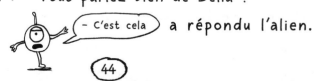

– C'est cela — a répondu l'alien.

J'ai TOUJOURS eu des soupçons au sujet de Délia (à cause du fait qu'elle porte en permanence des lunettes noires et qu'elle est BIZARRE en général).

Mais là, c'était la preuve que Délia est vraiment une extraterrestre.

PUIS je me suis demandé pourquoi l'alien voulait voir ma sœur.

Alors je lui ai posé une question :
   – Si je vous dis où elle est, qu'est-ce que vous allez faire ?
   Et l'alien a répondu :
– Délia va nous apprendre comment fonctionnent les humains pour que nous puissions prendre le CONTRÔLE de votre planète.

Je n'ai pas trouvé ça cool. Après tout, Délia est peut-être une EXTRATERRESTRE, mais c'est quand même ma sœur bizarre.
Elle ne voudrait pas que notre planète soit envahie, j'en suis certain.

Il fallait que je trouve rapidement un PLAN.

Un très bon plan qui sauverait le monde (())et peut-être même Délia en même temps.

C'était BEAUCOUP de pression.

MAIS J'AI TROUVÉ.

- Vous avez de la CHANCE : j'ai justement écrit TOUT ce que vous avez besoin de savoir sur les humains dans un document SECRET que j'ai dans mon cartable. Délia m'a aidé. Vous pouvez le PRENDRE TOUT DE SUITE... si vous la laissez tranquille.

L'extraterrestre a réfléchi un instant avant de répondre :

- Hmmm... bien tenté, petit humain.

Alors j'ai ajouté :

- Je rajoute un paquet de GAUFRETTES. C'est délicieux, et les humains ADORENT ça.

ON A CONCLU LE MARCHÉ.

J'ai tendu mon cartable à l'alien, qui a tout pris et est reparti  vite fait.

Il ne me restait plus qu'UN problème à régler : j'allais arriver en RETARD à l'école, et je n'avais plus mon devoir.
J'ai essayé d'expliquer la situation à mon professeur mais ça n'a pas eu l'air de l'impressionner.

Vraiment, Tom ?

(Pas le vrai M. Fullerman)

- MAIS c'est la vérité, m'sieur,

c'est un alien qui a pris mon devoir. Je le lui ai donné pour sauver le monde et ma sœur extraterrestre !

J'avoue que ça paraissait un peu FOU mais je savais que c'était la vérité.
Et maintenant, vous la connaissez aussi.

FIN

YOUPI ! TERMINÉ. C'est le moment de dessiner. Dessine ton alien à toi.

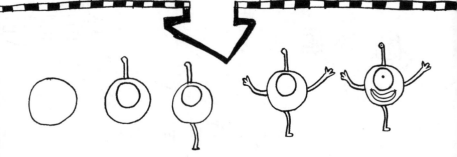

Je lève les yeux pour m'assurer que
M. Fullerman est encore à son bureau (il
l'est). Maintenant, il est clair qu'il n'a pas
DU TOUT prévu de faire des trucs
AMUSANTS.

(La dernière fiche d'exercices peut-être...)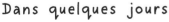

En temps normal, ça me dégoûterait
VRAIMENT, mais pour l'instant, sur le
compteur du dégoût, j'en suis à peu près là, ce
qui n'est pas si mal.

C'est parce que, pour la première fois depuis
une éternité, j'attends quelque chose d'autre.
Dans quelques jours

JE PARS EN ⇨

Colorie le dessin !

Ce dessin de VACANCES ! m'a pris pas mal de temps...

... J'ai faim maintenant.

Driiiiing !

Driiiiing !

Je suis **tellement** pressé d'aller manger que, dès la première sonnerie du déjeuner, j'attrape mon sac et me lève à toute *Vitesse*. Mais je fais racler ma chaise en la repoussant... et en la rangeant.

M. Fullerman me demande de recommencer

SANS BRUIT...

grraaac griiic

griiic grraaac

Je dois m'y reprendre à deux fois.

Le temps que j'arrive à la cantine, la queue est GIGANTESQUE. Et puis,  je me souviens que j'ai apporté un déjeuner, alors je retrouve Balèze et quelques autres dans ma classe. Mais avant de manger, je dois faire quelque chose de

TRÈS IMPORTANT.➡

INSPECTION

DE LA BOÎTE

C'est pour être certain qu'il n'y a rien de **BIZARRE** TAPI à l'intérieur.

Je commence par :

1. **O**uvrir tout doucement la boîte.

2. **R**enifler l'**odeur**.
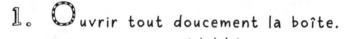

3. **C**hercher s'il n'y a pas :

Des légumes bizarres

des fruits **INSOLITES** →

Une garniture de sandwich non identifiable

Un petit mot de maman

Je t'aime, Tom ✗ ♥

Tout autre truc que Délia a pu ajouter ↓

Pour l'instant, mon déjeuner a l'air normal. Ce n'est JAMAIS une bonne idée d'apporter des choses **bizarres** à manger à l'école, parce que ça attire BEAUCOUP trop l'attention.

(Pas de la bonne façon.)
Voilà ce qui s'est passé

LA SEMAINE DERNIÈRE.

J'étais assis à côté de Florence, qui avait apporté des sortes de petits fruits que je n'avais encore jamais vus. Ça avait une peau rouge brunâtre, et c'était tout dur et piqueté. Mais quand elle en a DÉCORTIQUÉ un,

c'est devenu...

Alerte fruit bizarre

UN ŒIL BLANC TOUT GÉLATINEUX.

Florence l'a mangé puis a craché un
noyau marron et brillant dans sa main.

- Mmmm, MIAM. J'ADORE ça,
elle nous a dit.

- Qu'est-ce que c'est ? a demandé Norman.
(Moi aussi je me posais la question.)

- C'est délicieux, a-t-elle assuré.
- C'est trop **BIZARRE**,
        j'ai commenté.

Beurk

Tout ce fruit me paraissait répugnant.
Florence a trouvé drôle que son fruit provoque
autant d'agitation. Alors elle en a décortiqué
deux autres, a retiré les noyaux et a pris
TROIS de MES bâtonnets de carotte pour...

Tout mettre dans une assiette.
- REGARDEZ !
elle a dit en RIGOLANT !

Ha! Ha!

Un élève qui passait à côté a fait :

- BEEEEEEuRK !

Est-ce que c'est des YEUX ?

- Mais non, bêta, c'est des LITCHIS, a expliqué Florence.

Mais Mark Clump a cru qu'elle disait des **LOCHES** *. Il s'est levé et a crié.
- Vous savez qu'on trouve des **LOCHES** de plus de 15 centimètres ?

*  Les loches sont des grosses limaces bien baveuses.

Mais que ce soient des LITCHIS ou des LOCHES, ça ne me tentait pas du tout. Tout le monde était du même avis.

- BEURK, ça a l'air DÉGOÛTANT !

Ensuite, Norman a trouvé très DRÔLE de prendre l'assiette avec les « YEUX » dessus et de la promener partout pour les faire trembloter.

- ILS TE REGARDENT !

Florence se tordait de RIRE, ce qui l'a encouragé à continuer. Il a approché l'assiette tout près de ma figure en disant :

- DES YEUX !
Miaaaaaaam.

J'ai *REPOUSSÉ* sa main, et les LITCHIS
sont *TOMBÉS* de l'assiette.

- Eh, c'est à moi !

Florence a essayé de les rattraper, mais
Norman a été plus rapide et les a
fourrés tous les deux dans sa bouche.

- NORMAN ! a crié Florence.
Alors il les a recrachés dans sa main.

- Je ne vais PAS les manger
après ÇA, a dit Florence, fâchée.
Alors il les a remis dans sa bouche.

Hmmmmmm

- Est-ce que c'est bon ? a
demandé Balèze.

Norman a fait comme si c'étaient les fruits
les plus dégoûtants qu'il avait jamais mangés
de sa vie. C'était très convaincant, jusqu'au
moment où il a dit :

Yeurgggg...

 – **M**mmmh, **délicieux !** Alors on a compris qu'il blaguait.

On avait fait beaucoup de bruit, et Mlle Cherington a débarqué en disant :

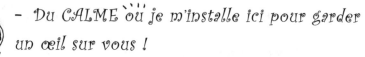 – *Du CALME où je m'installe ici pour garder un œil sur vous !*

– **O**ui, mademoiselle Cherington, on a répondu.

Et puis on a attendu qu'elle soit partie avant d'ÉCLATER de **RIRE** à cause de **N**orman.

– **REGARDEZ !** Moi AUSSI, je garde un ŒIL sur vous !

(**F**lorence n'a pas voulu lui donner d'autres **LITCHIS**.)

TOUTE cette histoire de fruits **BIZARRES**
nous a occupés presque toute la pause déjeuner,
et je ne peux pas m'empêcher de
penser que si Florence avait apporté
une pomme, RIEN de tout ça ne serait
arrivé.

(SAUF s'il y avait eu une bête dedans,
parce qu'on a DÉJÀ
connu ça.)

SALUT !

DONC... quand j'ouvre ma boîte à
déjeuner aujourd'hui, je suis très content qu'il
n'y ait pas de mauvaise surprise à l'intérieur.
(J'ai vérifié et REvérifié.)

Je mange pratiquement tout. Sauf les milliers
de bâtonnets de carotte que maman a mis.
Même un lapin n'arriverait pas à tout manger.
(Des tas et des tas...)

oooh.

(MAIS, ça fait de SUPER-dents de

VAMPIRE.)

← Cool, non ?

Oh... et il reste aussi
une orange.

Parfois, j'aime bien faire des petits dessins autour de mon fruit. J'appelle ça des croquis-FRUITS. Et comme Derek n'est pas sorti de la cantine, je prends un feutre, et je DESSINE autour de mon orange, comme ÇA :

Balèze m'a mis au défi de faire un croquis-PAILLE. Alors voilà :

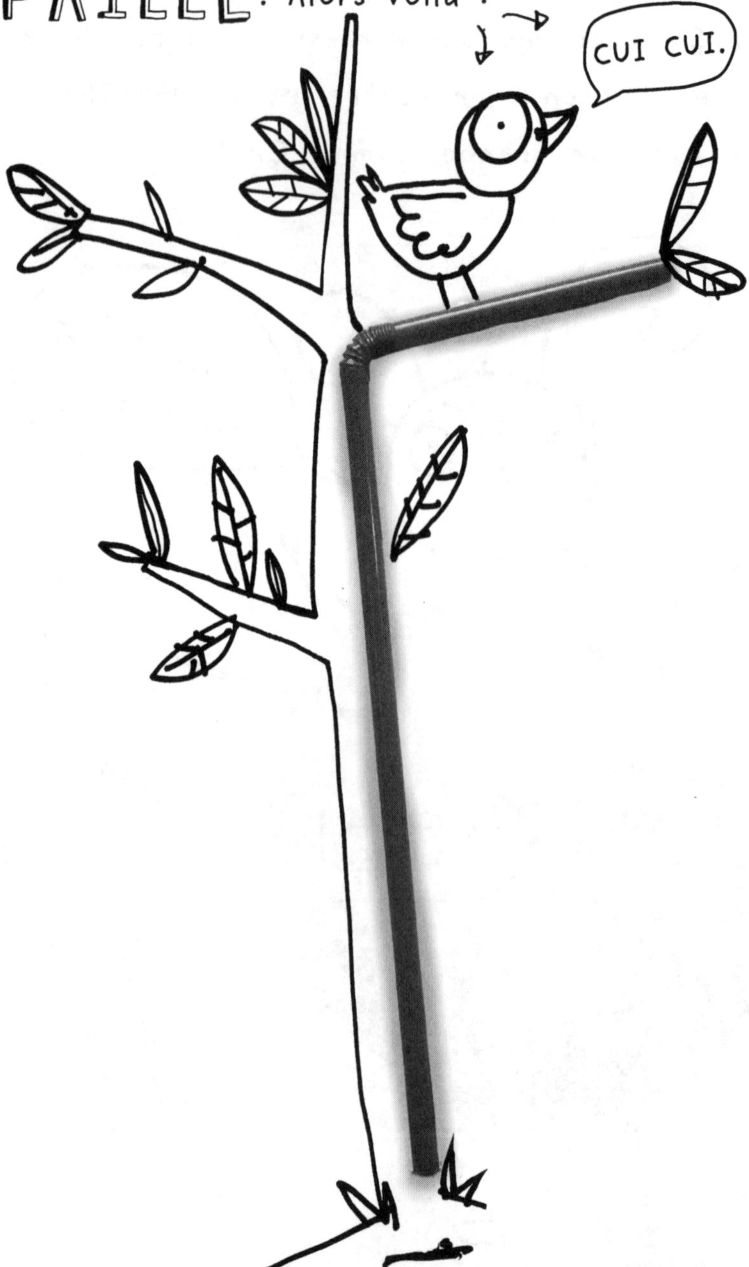

En plus de dessiner des croquis-FRUITS et des croquis-PAILLES, j'aime bien faire des fausses DENTS avec la peau de mon orange, comme ça.

J'ai toujours mon bout de peau d'orange sur les dents quand je retourne en classe. Ce n'est pas évident de dire mon nom quand M. Fullerman fait l'appel de l'après-midi. Je crois que je m'en suis bien tiré jusqu'au moment où il m'ordonne :

– RETIRE CETTE PEAU D'ORANGE DE TA BOUCHE !

Il n'est pas impressionné (et il est toujours grincheux, si vous voulez mon avis).

Soudain, Brad lève la main et demande si on va faire quelque chose d'AMUSANT pour le DERNIER JOUR D'ÉCOLE.

– Comme on fait TOUJOURS, m'sieur, ajoute-t-il.

(BRAVO, Brad !)

M. Fullerman plisse les yeux et répond :

- Eh bien, nous pourrions faire un **QUIZ ?**

Un *QUIZ ?* Toute la classe laisse échapper un Rhoooooooooh qui montre à M. Fullerman que ce n'est pas exactement ce qu'on attendait.

- D'accord. Je vais voir ce que je peux trouver pour demain.

- J'espère que ça ne sera pas un quiz, je chuchote à **AMY**.

- Moi, ça me va, elle me répond.

- C'est parce que tu sais répondre aux questions. Moi, je me retrouve généralement à faire équipe avec TU SAIS QUI...

Marcus m'écoute.

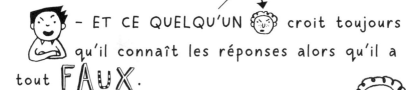 – ET CE QUELQU'UN croit toujours qu'il connaît les réponses alors qu'il a tout **FAUX**.

– Tu ne peux pas parler de **MOI** 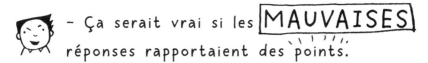 puisque je suis super bon aux quiz, assure Marcus.

– Ça serait vrai si les MAUVAISES réponses rapportaient des points.

– Vas-y, POSE-moi une question.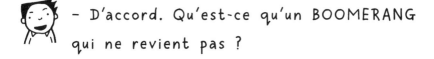

– Pourquoi est-ce que tu es si NUL aux quiz ?

– Je ne suis pas nul. Question suivante.

– D'accord. Qu'est-ce qu'un BOOMERANG qui ne revient pas ?

(C'est une blague qui a fait le tour de l'école.)
– Ne dis rien... Je connais la réponse, prétend Marcus.

J'attends...
J'attends encore. (Il ne la connaît pas.)

- La réponse est... un  BÂTON !

- C'est ce que j'allais dire !
s'écrie Marcus.
(N'importe quoi.)
- Vas-y, pose-moi une autre question.

Je n'ai pas d'idées, alors je lui demande un
truc TRÈS FACILE.

 - Qu'est-ce que tu vas faire la semaine
prochaine pour tes vacances ?

- C'est quoi, cette question à la noix ?

- Une question à laquelle tu devrais
pouvoir répondre.
Il croit que je cherche à le piéger. (Pas du
tout.) Je vois bien qu'il réfléchit. Enfin, il
dit :

- Eh, bien, puisque tu le
demandes, je vais visiter...

... PLANÈTE CHOCOLAT. Il paraît que c'est GÉNIAL. Et tu ne devineras jamais ce qu'on trouve là-bas.

— Laissez-moi réfléchir... du CHOCOLAT, peut-être ? je réponds d'un ton sarcastique.

— Non, à part ça. Ils ont des TAS d'attractions vraiment super, et il y en a une où on passe sur une RIVIÈRE de... DEVINE QUOI ?

— De CHOCOLAT ?

— De CHOCOLAT BLANC, en fait. J'ai trop hâte !

Miam

Ça a l'air tentant, alors je demande :

— Eh, Marcus, tu pourrais me rapporter quelque chose de SYMPA de PLANÈTE CHOCOLAT ?

(Je sais qu'il ne le fera pas, mais ça vaut le coup d'ESSAYER.)

     - Quel genre de chose ?
questionne-t-il, l'air méfiant.

   - Du CHOCOLAT, ça serait super.
Je dis ça comme ça !

- J'ai une meilleure idée, dit Marcus.

Je te rapporterai un marqué

                    Ha ! Ha !

 - Franchement, je préférerais du
CHOCOLAT.

Sa plaisanterie HILARANTE le fait encore
RIGOLER quand la FIN de la classe sonne.

M. Fullerman se lève et commence à faire
une annonce au sujet de demain.

IL NOUS DIT ⟶

72

N'oubliez pas que demain

D'accord ?

RACLEMENTS

Mais comme tout le monde fait **RACLER** sa chaise à ce moment, je n'entends pas la moitié de l'annonce. Oh, si c'était important, il nous aurait donné un mot à rapporter à la maison. Et je suis très pressé de **PARTIR**.

La classe de Derek sort souvent avant la mienne. (Je ne sais pas POURQUOI !) Et donc, il m'attend déjà dehors.

Super, on y VA ! il me dit, comme s'il était pressé.

Attends...

Je veux vérifier un truc avant qu'on se mette en route. Parfois, quand j'ai de la **chance**, je retrouve au fond de mon sac une pièce de 10 ou 20 centimes qui reste de l'argent de la cantine. Alors on peut acheter une petite friandise en passant pour se donner du courage.

Pendant que je cherche, Derek commence à se donner des petites **TAPES** sur les joues.

C'est mon MEILLEUR AMI, et je croyais tout savoir de lui. Mais je ne l'ai JAMAIS vu faire un truc pareil. Je demande :

Hein ?

- Qu'est-ce que tu fabriques ?

- Je joue un *air* sur ma FIGURE. Quand tu ouvres et que tu fermes ta bouche, ça produit des notes différentes. Écoute...

Technique

Derek me fait une démonstration en jouant *Joyeux anniversaire* sur ses joues. Il est bien lancé quand je me mets à crier :

GÉNIAL ! OUAIS !

- Calme-toi. C'est pas si génial que ça, dit-il.

– **NON**, j'ai trouvé des **SOUS** au fond de mon sac !

On fête ça en se tapant dans la main, et Derek me montre comment jouer un *air* de triomphe.

C'est beaucoup **plus** dur que ça en a l'air.

On est en pleine séance de **CLAQUES** sur les joues quand **AMY** et ses copines passent devant nous.

– Alors, le groupe répète à fond ? commente Amy en RIANT.

C'est le moment de s'arrêter.

– T'es tout rouge, me dit Derek.
– Toi aussi, je rétorque.

On laisse **AMY** et ses copines s'éloigner un peu avant de nous mettre en route.

La **PREMIÈRE** chose que je fais en arrivant à la maison, c'est de manger la  que je viens d'acheter pour que **M**aman ne sache pas que je suis passé au magasin. (fini !) Elle est en train de tout préparer pour les vacances, et, sans attendre, elle me dit...

Allez, on va faire ton sac, **TOM**.

- Quoi ? Maintenant ? On ne part pas tout de suite. Et je peux faire mon sac tout seul, je lui assure.

- Je n'en doute pas, mais la dernière fois que tu as fait tes bagages, tu as oublié de prendre des SLIPS.

Évidemment, il fallait qu'elle me rappelle ÇA.

- Il y a des choses indispensables.

- C'est bon, maman, je prendrai des SLIPS ! je lui assure pour qu'elle ARRÊTE d'en parler.

- Il faut que je pense à emporter ces boîtes en plastique. C'est toujours très utile en vacances, dit ma mère.

(Je ne vois pas pourquoi, mais au moins, elle ne parle plus de mes SLIPS.)

- Sors ce dont tu auras besoin, et je ferai ton sac pour toi. Et n'oublie pas tes SLIPS.

 (Grrrrr...)

On va passer nos VACANCES dans un endroit qui s'appelle

LA CÔTE DES PINS

J'ai vu des photos, et ça a l'air bien plus chic que les campings où on va d'habitude.

Papa dit qu'on occupera un **luxueux bungalow,**
ce qui sonne beaucoup
mieux qu'une **TENTE**
Le seul truc qui ne me plaît pas, avec ces
vacances, c'est que...

Délia vient aussi.

Ça ne la met pas
en joie non plus.
L'autre jour, les
parents ont eu une
GROSSE
discussion avec ma

sœur parce qu'ils ne voulaient pas la laisser seule
à la maison. Je n'étais pas censé entendre,
mais c'était difficile de faire autrement, surtout
quand Délia a crié :

– **Mais je n'AIME** ni les vacances
ni le **SOLEIL.**

Papa a répliqué qu'elle n'avait
pas à s'inquiéter pour ça puisqu'il pleuvrait
probablement tous les jours.
– Ça fait une **raison** de plus pour ne
pas y aller, alors, a protesté Délia.

Maman a assuré qu'il n'allait pas pleuvoir.
– Enfin, pas *TOUS* les jours. Allez, Délia,
ce sera *AMUSANT* de passer des vacances
SYMPAS en famille !
– **S**'il y a une chose de sûre, c'est que ça ne
sera pas AMUSANT, a rétorqué Délia.
J'entendais bien qu'elle n'était vraiment
pas contente. Elle râlait sur plein de
trucs et n'arrêtait pas de répéter
 « mes amis font ceci... » et
« mes amis font cela... »
Je dois reconnaître qu'elle a fait de son mieux
pour ne pas venir avec nous.
Si ça n'avait tenu qu'à MOI,
la conversation se serait résumée
à ça :

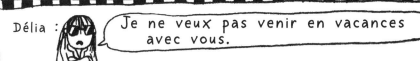

Délia : Je ne veux pas venir en vacances
avec vous.

Moi : PARFAIT.

Vous voyez ? Facile ! Pas d'histoires, pas de disputes.

Je suis resté dehors et j'ai collé l'OREILLE contre la porte de la cuisine pour entendre la suite, mais la conversation était de plus en plus ÉTOUFFÉE. Alors j'ai fait comme si je ne savais pas qu'il y avait un débat PRIVÉ et je suis entré. Papa était en train de dire :

– Si on accepte, tu devras **partager ta chambre.**

Alors, j'ai PANIQUÉ.

PARTAGER UNE CHAMBRE AVEC DÉLIA ?

PAS QUESTION !

Je ne PARTAGERAI PAS MA CHAMBRE !

j'ai crié.

- **P**ersonne ne te demande de partager ta chambre, Tom. On discute avec Délia. Tu sors.

Je me suis senti tellement **soulagé** que je n'y ai plus vraiment pensé.

J'ai préféré aller dessiner en attendant les vacances avec impatience.

Termine-le !

LE DERNIER JOUR D'ÉCOLE

OUAIS !

C'est incroyable la différence qu'un seul jour peut faire. Ce matin, je me suis réveillé SUPER tôt, et j'ai décidé de passer chez Derek, pour une fois. D'habitude, c'est lui qui vient m'attendre. Je prends toutes mes affaires pour l'école. Ensuite, j'avale un petit déjeuner *RAPIDE* avant DE filer chez Derek.

Pain grillé

Je sonne à la porte plusieurs fois avant que quelqu'un vienne ouvrir. C'est le père de Derek et, à voir sa tête, je devine qu'il vient juste de se réveiller.

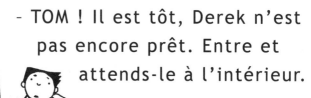

– TOM ! Il est tôt, Derek n'est pas encore prêt. Entre et attends-le à l'intérieur.

Coq est très excité de me voir.

- Couché, Coq ! lui
ordonne M. Fingle.

(Trop tard.)

- Laisse Tom tranquille, ajoute-t-il en me
conduisant dans la cuisine.

(Coq nous suit.)

 - Prends quelque chose à manger,
je vais dire à Derek de se dépêcher.

Assis ! dit-il ensuite à Coq.

 Mais ça ne marche pas non plus.
Pour que le chien arrête de
me baver dessus, je prends une
poignée de croquettes dans
sa gamelle et je les
LANCE une par
une pour qu'il les RATTRAPE.

- Allez Coq, vas-y !

 Il est plus doué
pour les rattraper...

... que moi pour les lancer.

Certaines tombent dans un bol de céréales.

Juste au moment où je m'apprête à les retirer, M. Fingle revient avec Derek. Alors je repose la cuiller vite fait.

– Tu voulais ces céréales, Tom ? me demande M. Fingle.

– Euuuuh... non, merci. J'ai déjà mangé.

– Bon, eh bien je vais les prendre, à moins que tu ne les veuilles, Derek ?

– Je me servirai moi-même, répond Derek.

Je pousse un soupir de soulagement. Mais M. Fingle s'assoit et se met à MANGER les CROQUETTES POUR CHIEN !

– Tu es sûr que tu n'en veux pas ? me propose de nouveau M. Fingle.

– Non merci, vraiment... ça va.

Glomp

Je ne dis rien pendant que Derek et son père prennent leur petit déjeuner.

SILENCE

- T'es arrivé tôt, commente Derek, et je fais oui de la tête.

 - Je suis sûr qu'il y a QUELQUE CHOSE de spécial AUJOURD'HUI, mais je n'arrive pas à me rappeler QUOI, ajoute-t-il en me regardant.

- C'est le dernier jour d'école, si c'est ce que tu veux dire.

À ce moment-là, Coq commence à manger Cronch Cronch Cronch Cronch ses croquettes en faisant plein de bruit, et M. Fingle fait la GRIMACE.

- Ces céréales ont l'air pleines de fibres. J'espère qu'elles sont bonnes pour la santé ! s'écrie-t-il en RIANT.

(Je ne dis pas un mot.)

Croquettes pour chien

On est en route pour l'école quand je demande à Derek :

– Est-ce que tu as déjà goûté aux croquettes de ton chien ? →

– Non, pourquoi ?

– Parce que je crois que c'est ce que vient de faire ton père.

Quand je lui raconte ce qui s'est passé, Derek est MORT DE RIRE.

– Si je lance une croquette à Coq et que c'est mon père qui SAUTE pour l'attraper, je saurai pourquoi !

Wouf !

(Attrape !)

On est presque arrivés à la grille de l'école, et Derek est toujours persuadé qu'il y a quelque chose de prévu aujourd'hui...

– C'est le dernier jour du trimestre. Si on a oublié quelque chose, ça ne peut pas être très grave, si ?

- Oh-oh... fait Derek.

C'est la journée sans uniforme.

Aujourd'hui journée sans uniforme !

Haut de forme

- Pour UNE fois qu'on pouvait mettre ce qu'on voulait, regarde-nous, tous les deux.

 - Je savais bien que j'avais oublié quelque chose.

En scrutant les élèves autour de moi, j'essaye d'être **POSITIF** et je dis à Derek :

- Pas de PANIQUE, je suis sûr qu'on ne sera pas les seuls à être en uniforme. Tu vas voir.

— On pourrait rentrer se changer ? je propose.

Mais Derek désigne M. Fana, qui se tient près des grilles de l'école.

— Trop tard : il ne nous laissera jamais sortir MAINTENANT.

(C'est vrai.)

Je pense à retirer mon pull ou à rouler les manches de ma chemise pour que mon uniforme soit un peu différent.

Il doit bien y avoir QUELQUE CHOSE à faire...

Réfléchis... Réfléchis...

Et SOUDAIN

PING !

J'AI UN PLAN !

- Je sais ce que je vais faire !  je lance à Derek. Mais D'ABORD, j'ai besoin d'un FEUTRE. J'en sors un de mon sac.

- Tu vas me faire un dessin ? me demande-t-il.

- En quelque sorte ! Tu sais qu'on a des tee-shirts blancs dans nos sacs d'EPS ?

 - Ceux qui sont accrochés au vestiaire ?

 - Exactement ! Qu'est-ce que tu dirais si je dessinais le logo de CLEBSZOMBIES dessus ?

- GÉNIAL ! Mais quand est-ce que tu vas pouvoir faire ça ?

 Il a raison. On n'est pas encore autorisés à entrer dans l'école.

Hmmmmmm...

Je me demande comment m'y prendre quand quelqu'un ouvre la porte juste devant nous.

➡️ **Buster Jones** en personne.

(Il se conduit bien maintenant, et il aide même à mettre les chaises pour le rassemblement général.)

Je crie :

\- BUSTER !
GARDE LA PORTE OUVERTE,
S'IL TE PLAÎT !

\- Désolé, Gatesie. T'as pas le droit. Et j'aurai des ennuis si je te laisse entrer... Pourquoi vous êtes en uniforme ?

- On a oublié que c'était la journée sans uniforme. Si tu nous laisses entrer, on pourra récupérer nos tee-shirts d'EPS dans le vestiaire pour nous changer.

Hmmmmmmmm...

Buster n'a pas l'air convaincu.

- Ça ne prendra pas longtemps. Je suis trop fort pour faire le

NINJA.

Buster réfléchit un moment avant de dire :

- D'accord, mais pas tous les deux. Juste Tom. Et ne dites à personne que je t'ai fait entrer ou vous aurez affaire à moi.

GLOUP...

- Merci, Buster.

Je respire à fond et me glisse sans bruit dans l'école.

 Je vérifie à gauche et à droite, et puis je rase le mur.

Jusque-là, tout va bien...

Je me rapproche...

encore plus près...

jusqu'au moment où... OUI !

J'ai réussi !

= J'ATTRAPE nos sacs d'EPS et je reviens tout doucement vers la porte. Buster et Derek me font de grands gestes :

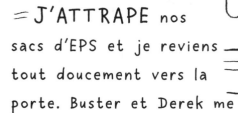

GROUILLE TOI !

J'y suis presque quand soudain...

Mme Cherington **SURGIT** !

Alors je me cache et reste PARFAITEMENT immobile.

– Je suis ravie de vous voir si pressés d'entrer dans l'école, les garçons, mais il est un peu trop tôt. Soyez gentils, sortez et fermez la porte derrière vous, s'il vous plaît.

Il me semble bien que Derek essaye de dire quelque chose.

– Mais... euh...

Mme Cherington ferme la porte, et je reste caché à l'intérieur. Elle s'éloigne et je décide de *FONCER* vers la liberté. Mais à ce moment, **M**.**P**ignon arrive et je suis forcé de rester CACHÉ jusqu'à ce que la sonnerie annonce le début de la classe.

Driiiiiing !

Je me rends dans
ma classe et fais comme si j'étais juste
TRÈS matinal (ce qui ne me ressemble pas).

C'est aussi ce que pense M. Fullerman.
– C'est vraiment TOI, Tom ?

 Oui, m'sieur. Je
suis PRESSÉ de...

Mais je me rappelle que Derek a mon sac et
que je suis toujours en uniforme. Alors je dis...

 – Je suis PRESSÉ de mettre un tee-
shirt à la place de mon uniforme. Mais
il faut que je dessine dessus. C'est pour ça
que je suis arrivé TÔT.
M. Fullerman soupire.

– Bon, eh bien, vas-y. DÉPÊCHE-toi.
(Il est de meilleure humeur qu'hier,
alors je lui emprunte des feutres et
je me mets à dessiner.)

 Merci, m'sieur.

Moi, en train de dessiner sur mon tee-shirt.

CLEBSZOMBIES

Je dois dire que c'est d'ENFER.

À l'instant où je termine son tee-shirt, Derek arrive avec mon sac. On fait un échange SUPER RAPIDE et je pousse un soupir de SOULAGEMENT parce que :

1. Je ne me suis pas fait prendre par Mme Cheringstache.

2. On n'est plus les RINGARDS en uniforme de l'école.

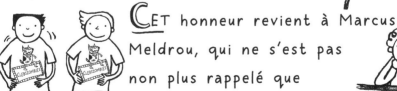

CET honneur revient à Marcus Meldrou, qui ne s'est pas non plus rappelé que c'était la journée SANS uniforme.

(La honte.)

- J'ai OUBLIÉ, gémit Marcus, qui a l'air VRAIMENT effondré.

C'est déjà dur d'être assis à côté de lui quand il est de BONNE humeur (et qu'il la RAMÈNE tout le temps).
Mais c'est encore PIRE quand il est de MAUVAIS poil.

Comme c'est le DERNIER jour du

RONCHON

trimestre, je me sens d'humeur généreuse, et je montre mon tee-shirt à Marcus.

- Je POURRAIS t'en faire un.

Marcus me regarde avec méfiance.

- Qu'est-ce que tu veux ?

- Rien. Juste que tu ne fasses pas la tête TOUTE la journée.

- Bon, je vais chercher mon tee-shirt de sport, alors. Mais je ne veux pas du nom de TON groupe dessus. Juste mon nom à moi. D'accord ? ajoute-t-il, un peu moins effondré.

– D'accord, mais tu ferais mieux de te dépêcher. On n'a pas beaucoup de temps.

M. Fullerman est en train de mettre des trucs sur une table pendant que les élèves entrent en classe. Marcus profite de ce que le prof est encore occupé pour aller me chercher son tee-shirt. Je commence à dessiner dessus et il n'arrête pas de m'OBSERVER, ce qui ne me plaît pas trop.

– Ne te trompe pas dans l'orthographe de mon nom, me dit-il. (Je sais très bien comment ça s'écrit, mais maintenant qu'il m'a dit ça, c'est très tentant d'écrire

MORCUS NORCUS MERCUS MARKUS PARKUS

... mais je me retiens.)

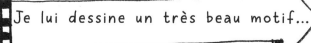

Je lui dessine un très beau motif...

Voilà celui que j'ai fait pour Marcus.

Sur le DEVANT

Voilà, MON motif.

DE QuOI faire un autre motif...

Je termine ce qui me paraît un très bon dessin sur le tee-shirt de Marcus, quand il me dit :
- Et sur le DOS, on met quoi ? C'est un peu VIDE.

VIDE

 - Rien. C'était juste pour t'aider, tu te rappelles ?

- Tu peux pas ajouter un truc ? Mais pas le logo de ton groupe, insiste Marcus sans faire ATTENTION à ce que je viens de lui dire.

 Je SOUPIRE.

- Bon, donne-le vite fait, je vais te faire un de mes monstres.

Je dessine ça, et Marcus enfile le tee-shirt. Il me dit même merci, ce qui est quelque chose. Et puis il se remet à RÂLER !

- J'ai encore l'impression d'être
en uniforme, gémit-il.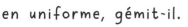

- Tu n'es pas
OBLIGÉ de le mettre, je fais remarquer.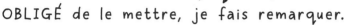

- J'imagine que c'est mieux que RIEN.

J'en ai assez de l'entendre se plaindre, alors
je décide de faire quelque chose.

 - Eh, Marcus, il faut que je
rajoute un tout PETIT TRUC sur
le monstre. Ce sera mieux avec.

- Je ne retire pas mon tee-shirt, prévient-il.

- Pas la peine, tu n'as qu'à te retourner, et
essaye de ne PAS bouger.

- Ne mets rien de stupide !

- MAIS NON...

Sauf que, maintenant qu'il me l'a dit...

L'occasion est trop belle pour la laisser
PASSER.

Voilà... c'est fait.

(Je trouve que c'est mieux.)

M. Fullerman a l'air beaucoup plus JOYEUX aujourd'hui. On dirait qu'on a changé de prof.

– Bonjour, les enfants ! Qui est content que ce soit le DERNIER JOUR AVANT LES VACANCES ?

(Je crois que M. Fullerman est ravi.)

Je crie  avec le reste de la classe.

– Et qui est prêt pour notre FANTASTIQUE Quiz VRAI ou FAUX de fin de trimestre ?

 ajoute-t-il d'un ton très excité.

Bof...

(Bon, c'est sûrement mieux que des maths...)

M. **F**ullerman nous divise en DEUX ÉQUIPES.
AMY a de la chance, elle se retrouve à côté
d'Indrani. Et moi, j'atterris avec... devinez qui ?

MARCUS ➡ (Super.)

- Ne mélange pas toutes les réponses,
m'ordonne-t-il pendant qu'on nous passe le
questionnaire.

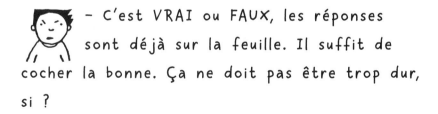

- C'est VRAI ou FAUX, les réponses
sont déjà sur la feuille. Il suffit de
cocher la bonne. Ça ne doit pas être trop dur,
si ?

- C'est facile pour **MOI**. Je suis très
bon aux quiz, tu te rappelles ?

Vrai ou Faux : voyons ce que vous savez...

		VRAIX	FA
1	Le pingouin ne sait pas voler, donc ce n'est pas un oiseau.		
2	L'ananas pousse sur un arbre.		
3	L'araignée a huit pattes.		
4	Quand on mélange du jaune et du bleu, on obtient du violet.		
5	Les licornes existent.		
6	Sydney est la capitale de l'Australie.		
7	Le miel est produit par les abeilles.		
8	Les dodos ont vraiment existé.		
9	Quand on mélange du jaune et du rouge, on obtient de l'orange.		
10	L'animal le plus rapide sur terre est le léopard.		

Et quelques autres de ma composition.

	VRAIX	FAUX
Marcus possède un gros chien.		
Mme Cherington a une barbe.		
RODÉO3 est le meilleur groupe du monde.		
Les gaufrettes au caramel sont délicieuses.		
Mes cousins détestent les films d'horreur.		
Oncle Kevin sait tout.		
M. Fullerman a les yeux grands comme des soucoupes.		
Les photos scolaires sont toujours un désastre.		
Délia ne fait pas toujours la tête.		
Derek a toujours été mon meilleur ami.		

RÉPONSES PAGES 250-251

Le quiz était plus *AMUSANT* que je pensais. On a eu juste à presque toutes les questions. Il y en a **UNE** où je me suis trompé, et maintenant, Marcus n'arrête pas de revenir dessus.

Il se retourne et demande à qui veut l'entendre :

EH ! Qui croit que les licornes **existent** vraiment ? **PERSONNE... ?** Alors il n'y a que **toi**, **TOM**.

J'essaye de m'expliquer :
– Je me suis mélangé les pinceaux ! J'ai très envie de lui dire ce que j'ai écrit sur le dos de son tee-shirt, mais je me tais. Et puis ma **SEULE** mauvaise réponse n'empêche pas notre équipe de gagner. C'est déjà quelque chose.

ET comme notre équipe a GAGNÉ, M. Fullerman nous laisse choisir les BILLETS de TOMBOLA en premier. Il a installé toute une table de lots à gagner. On ne s'y attendait VRAIMENT pas, et c'est une belle SURPRISE de fin de trimestre. ☺

TOMBOLA DE FIN DE TRIMESTRE

- Personne ne sera oublié. Il y a quelque chose pour CHACUN de vous, nous assure-t-il.
À la première occasion de m'approcher de la table pour examiner les lots, JE FONCE.

On discute avec Mark Clump de ce qu'on aimerait bien GAGNER, quand Leroy fait remarquer :
- On dirait que M. Fullerman veut se débarrasser de ses affaires de bureau. Il n'y a pas de bonbons ni rien.   (Il n'a pas tort.)

Marcus EXAMINE  lui aussi les lots.

– Moi, je veux ce paquet de STYLOS ✒ et SÛREMENT PAS cet

ÉNORME↕ bloc de Post-it.

Tu parles d'un lot à gagner !

– On ne choisit pas, c'est un jeu de CHANCE, explique AMY à Marcus avant de regarder son tee-shirt. Chouette dessin. C'est toi qui l'as fait, Tom ?

– Ça te plaît ? je demande. Mais il faut que Marcus lance :

– Il est meilleur en dessin qu'en QUIZ, pas VRAI ?

– Tu devrais voir le monstre que j'ai dessiné derrière, je dis à AMY. Il n'est pas mal non plus.

Marcus est trop content de se retourner pour lui montrer.

C'est encore mieux.

Chuuuut !

M. Fullerman commence à tirer les numéros de la tombola. Alors on se tait et on écoute.

Quand Marcus entend qu'on appelle son numéro, il est très CONTENT d'apprendre qu'il a gagné un *joli* carnet et un stylo.

AMY gagne une paire de chaussettes,

et quand on appelle mon numéro **3**, je me PRÉCIPITE et

DÉCOUVRE que le 3 est COLLÉ SUR ➡

Je suis TRÈS CONTENT de ce que j'ai gagné, mais Marcus trouve ça NUL.

- HA ! Heureusement que ce n'est pas moi qui ai eu ces Post-it. C'est le PIRE lot de TOUS LES TEMPS !

- Eh bien, moi, je ne trouve pas. C'est très utile pour plein de trucs.

- COMME QUOI ?   se moque Marcus.

- On peut jouer à QUI SUIS-JE, où on écrit un truc sur un POST-IT qu'on colle sur le front de son voisin - COMME ÇA - et la personne doit deviner qui elle est.

- Tu PARLES - je préfère mon carnet avec le stylo. Tu dois bien reconnaître qu'un bloc de Post-it, c'est de la daube.

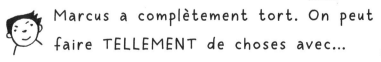

Marcus a complètement tort. On peut faire TELLEMENT de choses avec...

... **P**endant que Marcus ne regarde pas.
On peut faire ça, pour commencer.

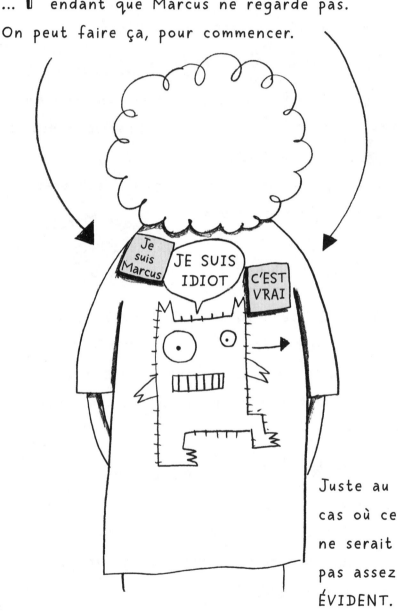

Juste au cas où ce ne serait pas assez ÉVIDENT.

À part coller des mots sur le dos de Marcus,
j'ai déjà des TONNES d'autres idées
pour utiliser mon

Qu'est-ce qu'on peut dessiner d'autre ? Hmmmmmm...

Mon monstre

Termine le griffonnage, puis fais ton propre dessin.

Je *réfléchis* ENCORE à ce que je pourrais faire avec mes Post-it quand on entend ENFIN la sonnerie de la (fin) de l'école. M. Fullerman nous dit :

Passez

de merveilleuses vacances,

et à dans une semaine. N'oubliez

pas de FINIR TOUS vos devoirs,

car le temps va FILER

très vite. D'accord,

les enfants ?

- OUI, M'SIEUR !

On répond tous, comme si on le pensait vraiment.

(Bon, il y en a qui le pensent vraiment — moi, je suis juste pressé de rentrer chez moi !)

Ces vacances vont être les **MEILLEURES**
DE TOUS LES TEMPS.

J'ai vraiment hâte de partir.
Ça ne me dérange même pas de me faire doubler
par Marcus parce que c'est trop **MARRANT**
de le voir partager mes messages
autocollants avec tout le monde en traversant
l'école.

Tellement utile !

Voici quelques messages que j'emporte en vacances avec moi.

Celui-là est pour Délia.

Celui-ci est pour **protéger** mes FRIANDISES.

C'est vrai ! ▽

D'autres
idées
d'autocollants

La plupart du temps, j'aime les **surprises**. J'ai déjà vu des photos de l'endroit où on va passer nos vacances. Donc ÇA, ce ne sera pas une surprise. L'endroit a l'air joli, entouré de pins et pas loin de la plage. J'ai vraiment HÂTE !

Papa essaye de faire entrer mon sac (finalement, c'est maman qui l'a fait) dans la voiture. Il fait de son mieux pour TOUT caser, mais ça ne va pas être facile.

– Est-ce qu'on a vraiment besoin de toutes ces boîtes en plastique ? me demande-t-il alors qu'il y en a deux qui tombent du sac à pique-nique. Ta mère fait une FIXETTE dessus !

J'ai entendu ! grogne maman, dans la maison.

Elle entend tout (elle a des oreilles de chauve-souris).

Pendant que papa se bat avec les bagages, je remarque que le siège SUPPLÉMENTAIRE a été installé à l'arrière, ce qui m'INTRIGUE.

Qu'est-ce qui se passe ?

En général, on ne met ce siège que quand on EMMÈNE quelqu'un avec nous. (Et c'est presque toujours moi qui dois le prendre.)

Ça, c'est la PREMIÈRE surprise.

Ensuite, papa me dit : Tom, tu montes à l'arrière.

 — Pourquoi ? Je ne peux pas m'asseoir à ma place normale ?

— Tu dois monter à l'arrière parce qu'on passe prendre Avril.

— AVRIL ! POURQUOI ? POUR QUOI FAIRE ?

Expression choquée

apa ne me répond pas tout de suite. Alors j'insiste :

 – Elle ne vient PAS en vacances avec nous, si ?

Il marmonne quelque chose comme quoi Délia voulait qu'une copine l'accompagne et qu'ils n'avaient pas vraiment eu le choix s'ils avaient envie qu'elle vienne.

– On n'a qu'à laisser Délia toute seule, je suggère.

C'est une très GROSSE SURPRISE,

mais PAS du genre que j'espérais.
(En tout cas, PAS une surprise sympa.)

Délia et Avril sont copines depuis longtemps et, à part le fait qu'Avril est beaucoup plus petite que Délia, elles se ressemblent beaucoup dans le genre **sinistre**. Au moins, Avril

n'est pas très BAVARDE, donc elle ne parlera pas beaucoup dans la voiture. C'est déjà <u>ÇA</u>.

Maman essaye toujours de lui faire la conversation. Mais Avril ne répond jamais rien d'autre que :

Et c'est à peu près tout.

Le fait qu'Avril vienne avec nous ne me fais pas vraiment PLAISIR.

J'essaye encore de me remettre de cette NOUVELLE quand maman nous rejoint et dit :

– Pardon, Tom... On ne t'avait pas informé qu'Avril venait avec nous ?

– NON ! Pourquoi Délia a le droit d'amener une copine et PAS moi ? je demande.

– Parce qu'il n'y a pas assez de place. La prochaine fois, TU pourras peut-être inviter quelqu'un, me propose maman.

Ça, c'est enregistré dans mon cerveau et ça ne manquera pas de revenir sur le tapis la prochaine fois qu'on partira.

Vacances. Derek.

– Et c'est aussi la seule façon qu'on a trouvée d'éviter que Délia ne fasse la tête tout le temps. Tu sais comment elle peut être, avec l'adolescence et tout ça, ajoute maman, comme si c'était une

EXCUSE.

– **P**ourquoi est-ce qu'**Avril** doit venir avec nous ? j'insiste, vu que je ne trouve pas ça juste du tout.

– Comme on ne pouvait pas laisser Délia TOUTE SEULE à la maison, on a accepté qu'elle invite une amie. Au moins, elle ne passera pas TOUTES les vacances à RÂLER !

– Elle râle toujours, je fais remarquer. Maman apporte d'autres sacs et me dit :

– Délia et **Avril** feront leurs trucs ensemble et toi, tu pourras faire des activités avec NOUS !

– Pense à toutes les choses SYMPAS qui nous attendent, ajoute papa avec enthousiasme.

– Quel genre de choses ? je demande, parce que je ne suis pas encore convaincu que les filles ne vont pas me gâcher TOUTES mes vacances.

Papa m'annonce qu'on va...

Nager

Faire du bodyboard

Pêcher

ET **MÊME** du surf.

de la pêche à pied

Quand papa parle de surf, maman **RICANE** bien **FORT**.

— **Toi**, faire du surf, Frank. VRAIMENT ?

— Qu'est-ce que tu entends par là ? J'ai ça dans le sang, tu vas voir, réplique papa en mimant une séance de surf.

— Tout ce que je vais voir, c'est : SURF le matin, HÔPITAL l'après-midi, dit maman en **RIANT**.

— Je pourrais te SURPRENDRE, lui assure papa.

(Moi, ce qui me surprend encore, c'est qu'**Avril** vienne en vacances avec nous...

GRRRRR !)

Les parents continuent de charger la voiture, et je me FAUFILE sur le SIÈGE ARRIÈRE pour ESSAYER de m'installer confortablement. Délia arrive quand tout est prêt. (TYPIQUE.)

Elle S'ÉCROULE sur son siège... et ne décroche pas un mot. Alors moi non plus.

(En tout cas, PAS TOUT DE SUITE.)

On est presque prêts à partir, mais papa veut encore vérifier que toutes les PRISES sont bien DÉBRANCHÉES.

Bonne idée, approuve ma mère, et ils retournent tous les deux dans la maison.

Délia SOUPIRE pendant que je prépare mon petit en-cas

Boîte à en-cas

pour le voyage.

Quand les parents reviennent, maman tient une autre boîte en plastique à la main.

– Heureusement que je n'ai pas oublié ÇA, dit-elle en la GLISSANT dans un tout petit espace à ses pieds.

– On l'a ÉCHAPPÉ belle, se moque papa.

– C'est bon, Frank... on y va ? Vous avez tout ce qu'il vous faut ? nous demande maman.

– Il n'y a PLUS de place pour quoi que ce soit d'autre, grogne Délia.

– Pour Avril non plus, je marmonne, et maman me foudroie du REGARD.

– Vous êtes allés aux toilettes ? Vous avez des mouchoirs ? insiste notre mère.

– OuI ! je réponds aux deux questions, parce que tout va BIEN.

Et on est partis.

On a à peine tourné le coin de la rue...

... que je commence à RENIFLER.

Je ne m'en rends même pas compte mais, au troisième reniflement, Délia dit que je suis dégoûtant.

Maman me passe un gros tas de mouchoirs en papier.

- ARRÊTE DE RENIFLER ! ordonne-t-elle.

(C'est difficile de se retenir, maintenant.)

- Sniff
- Sniff

Sniff
Sniff

Je finis quand même par m'arrêter.

Avril n'habite pas loin. On se gare devant chez elle, et maman commence à descendre.

 – Où **TU** vas ? demande Délia.

– Je vais saluer la maman d'Avril rapidement.

– POURQUOI ? On n'est **plus** des gosses !

 Délia n'est pas ravie, mais c'est trop tard, parce qu'Avril et sa mère s'avancent déjà vers la voiture. Avril ressemble beaucoup à Délia (elle fait la tête), et elle n'a pas l'air si ravie que ça de venir avec nous. Mais sa mère n'arrête pas de sourire et de faire de grands gestes.

– *C'est tellement* GENTIL *de votre part d'emmener Avril en vacances !* dit-elle à maman.

– C'est un plaisir ! Nous sommes RAVIS de l'avoir !

(PAS moi.)

On s'éloigne, et la mère d'Avril continue de
faire de grands gestes en criant :

Au revoir !
À bientôt !
Soyez prudents !

(Avril
ne dit
rien.)

Papa dit à Avril que c'est super de
l'avoir avec nous.

- On a tous hâte de faire de la RANDONNÉE
et de crapahuter dans les montagnes, hein ?

 - T'inquiète, il plaisante. Tu vois
ce que je dois me coltiner tous
les jours, dit Délia à Avril.

Et puis elle sort son ordi portable et elles
mettent toutes les deux leurs écouteurs pour
regarder un film. Je peux juste apercevoir ce
qu'elles regardent, mais je n'entends
rien. Alors je me ⊆PENCHE pour
mieux voir... et quand Délia le remarque, elle
bouge l'écran pour que je ne puisse plus
regarder. Elle râle :

- Ne sois pas pénible, Tom.

Oh, tant pis. J'ai des tas d'autres trucs à faire. Comme de mettre de l'ordre dans mes bricoles à manger,  boire mon jus de fruits et sortir mes Post-it en réfléchissant à ce que je vais mettre dessus (ça me prend un moment).

Je finis par me décider pour ÇA :

Il ne me reste plus qu'à trouver un moyen de le lui coller sur le dos.

(Mission accomplie.)

On a déjà dépassé plusieurs stations-service quand maman demande :

Quelqu'un a envie d'aller aux toilettes ?

PERSONNE ne veut y aller.

Bon, j'ai bien un petit peu envie, mais pour l'instant, ça va, alors

je ne dis rien.

Mais, dix minutes plus tard, je me rends compte que ça devient PRESSANT !

Alors je demande :

- On peut s'arrêter bientôt ?

- Pourquoi tu ne l'as pas dit tout à l'heure ? s'exclame papa.

- Tu devras te retenir jusqu'à la prochaine station-service. Ça ne devrait pas être trop long, m'assure maman.

(J'espère.)

V̲ɪɴɢᴛ M̲ɪɴᴜᴛᴇѕ P̲ʟᴜѕ T̲ᴀʀᴅ, ᴏɴ ʀᴏᴜʟᴇ ᴛᴏᴜᴊᴏᴜʀѕ ! )) (Je me tortille beaucoup.)

Délia trouve que c'est le timing idéal pour ouvrir sa bouteille [d'EAU] et boire un coup.

Glou
Glou
Glou

Elle **agite** l'eau dans la bouteille exprès pour que je l'entende.

– Quelqu'un veut de l'**EAU** ?

Ma sœur sait exactement ce qu'elle fait.

:sloutch splitch sploutch ))

– DITES À DÉLIA D'ARRÊTER, je supplie, proche de la panique. On arrive bientôt ?

Délia en rajoute en disant :

– Alors je ne peux même pas prendre un bon verre D'EAU FRAÎCHE ?

Papa réussit à trouver une station. On se gare, et je **FONCE** aux toilettes.

[AVANT] ➡ ᝪ

Air joyeux

APRÈS

(Quel SOULAGEMENT !)

PETITS BONDS !

Et ça va ENCORE mieux quand je vois Délia se balader avec mon Post-it sur le dos... ☺

JUSQU'À ce qu'Avril le repère et le décolle.

Grrrrr.

Pendant que je retourne vers la voiture, Délia montre mon Post-it aux parents, et me lance d'un ton énervé :

- PLUS DE POST-IT... SINON !

Ce qui revient à me mettre au défi de RECOMMENCER.

(Bien joué !)

Les voyages en voiture me font toujours dormir. Il est donc temps de piquer un petit roupillon.

 Zzzzzzzzz Je suis en train de m'assoupir quand j'entends Délia chuchoter des trucs sur MOI à Avril.

(Du coup, je tends l'oreille en gardant les yeux fermés.)

– Il n'y a que quand il dort qu'il est supportable, explique-t-elle. S'il T'**EMBÊTE**, ignore-le et il FINIRA par se calmer.

Elle parle de MOI comme si j'étais une sorte de crise d'URTICAIRE.
Alors je décide de prononcer la phrase que personne ne veut entendre en voiture...

 # – J'AI MAL AU CŒUR...

 Oh non.

Puis je regarde tranquillement Délia paniquer.

Avril s'écarte le plus possible de moi.

– Pour l'amour du ciel, passe ça à Tom, vite ! s'écrie maman.

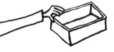 ← (C'est une de ses boîtes en plastique.)

Délia obéit à CONTRECŒUR.

– Et arrête de MANGER des sucreries, ajoute ma sœur.

Je suis tellement FORT pour jouer la comédie que Délia et Avril font tout pour s'éloigner de moi dès que je

 TOUSSE ou GROGNE...

J'arrive à tenir super longtemps.

C'est très amusant...

POUR MOI.

Maman suggère de jouer aux DEVINETTES, celles où on doit trouver un truc qui se voit.

– Ça t'aiderait à penser à autre chose, ajoute-t-elle.

 – D'accord, je réponds d'une voix un peu faible.

J'ai le droit de commencer.

(Ce n'est pas très étonnant, mais Délia et Avril ne veulent pas jouer.)

– Le NOM que vous devez trouver commence par un C.

Chien? Chemin?

Chocolat? Chameau?

Cake?

 Chaussée? Camion? Café?

Crayon? Chat? Chenille?

Papa commence à dire n'importe quoi, alors je leur demande s'ils ont besoin d'un indice.

– Ce C pourrait bientôt se généraliser.

– D'accord, je donne ma langue au chat.

Je toussote un peu... et je dis :

– Carrément barbouillé.

Et puis j'agite la boîte en plastique, ce qui fait reculer Délia et Avril.

Dégoûtant...  Ha! Ha!

Et maintenant, trouve les C cachés dans ce dessin et colorie-les.

On arrête de jouer parce que papa veut se concentrer pour ne pas rater les pancartes indiquant le bungalow.

– C'est mon imagination, ou le ciel devient vraiment très **SOMBRE** et ORAGEUX ? questionne maman en levant les yeux.

– C'est ton imagination, regarde là-bas, il y a du SOLEIL, répond joyeusement papa.

– Oui, mais pas du côté où on va, je fais remarquer.

– Je suis content que tu te sentes mieux, Tom, me dit papa.

Soleil↓   Nuage↓

Puis il REPÈRE la PREMIÈRE PANCARTE, et change de sujet.

REGARDEZ ! c'est par là ! ➡

LA CÔTE DES PINS

Maman et moi, on pousse un cri de JOIE !

Délia grogne :

- Pas trop tôt.

(Avril ne dit rien.) Papa suit d'autres panneaux et continue de conduire.

NOUVEAU SITE

LA CÔTE DES PINS

ANCIEN SITE LA CÔTE DES PINS

- Il y a vraiment beaucoup de pins par ici, vous ne trouvez pas ? je fais remarquer en regardant par la vitre.

- Cet enfant est un génie, grommelle Délia.

- Vous pourriez tous me féliciter de ne pas m'être PERDU une seule fois, intervient papa.

- Tu t'es débrouillé COMME UN CHEF, assure maman.

- J'ai hâte de voir le bungalow ! je dis tout haut.

Papa arrête la voiture devant ce qui devrait
être le bon endroit.
- J'ai suivi les panneaux, donc on doit y être.

- Tu es SÛR ? s'étonne maman, vu que ça
ne ressemble pas vraiment aux photos.

- On dirait une DÉCHARGE, grogne Délia.
Avril regarde droit devant elle comme si elle
était en TRANSE,
ce qui est carrément FLIPPANT.

- Entrons, je suis sûr que ce sera très
agréable une fois qu'on sera installés, assure
papa pour essayer de nous redonner le moral.
- J'espère, lâche maman avec un soupir.

On prend tous les sacs et on s'approche du
« luxueux bungalow ».

Voilà ce que ça donnait sur la brochure.

Et voilà à quoi ça ressemble dans la VRAIE VIE.
Au moins, ce n'est pas une tente. Et je vais
avoir une chambre pour moi tout seul. On est en
vacances. Ça ne peut pas mal se passer.

ALORS IL S'EST MIS À
PLEUVOIR...

... et la PLUIE ne s'est pratiquement pas ARRETÉE de TOUT notre séjour.

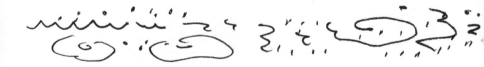

C'était CENSÉ être le début de quelques jours d'AMUSEMENT. J'ai tout fait pour ne pas m'ennuyer. À la fin, j'ai tenu un journal de vacances.

Post-it très humide.

MON
JOURNAL
DE
VACANCES

(Bonne lecture...) ⟹

Papier
mouillé.

Feutre - fin prêt...

MON
JOURNAL
PLEIN
DE TRUCS
TRÈS
IMPORTANTS

Tache d'humidité

DATE	JOUR 1	
Humeur du jour	Morose	**Mes projets du jour**
Temps	Morose	Bien m'amuser

Cher journal,

(On est apparemment censé commencer comme ça.)

Je suis en vacances et, pour l'instant, les choses ne se passent pas très bien. Sur le VACANÇOMÈTRE, l'aiguille stagne du côté de « Vacances un peu POURRIES ».

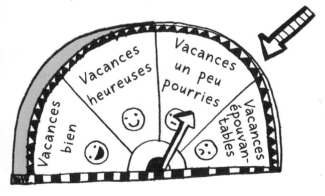

Il y a des TAS de raisons à cette situation, mais c'est surtout à cause...

Roulement de tambour...

de la PLUIE, du vent

DE toujours plus de PLUIE

et de toujours plus de vent,

de Délia qui râle, *râle râle* et d'Avril
(juste parce qu'elle est ici),

et de
maman⟶ qui n'a PAS pris la moitié des
affaires que j'avais sorties pour les EMPORTER.

Aujourd'hui, c'est NOTRE PREMIER JOUR à
LA CÔTE DES PINS. En temps normal, je
ne devrais PAS être en train d'écrire (à part
quand les parents me FORCENT à écrire des
CARTES POSTALES, ce qui pourrait bien encore
arriver).
Mais maman m'a donné ce JOURNAL il y a quelques
semaines et m'a dit que ce serait amusant à
faire pendant qu'on serait en vacances. J'ai
répondu : — Hummmmm, PEUT-ÊTRE.

(Ce qui est un CODE pour...

ÇA VA PAS, NON, C'EST UNE BLAGUE !)

Qui veut écrire un JOURNAL pendant ses vacances ?

PAS MOI – ça, c'est certain. Je serais beaucoup trop occupé à m'amuser et à faire des TONNES de choses intéressantes.

ENFIN, c'est ce que je CROYAIS.

Maman l'a emporté quand même, donc, je me retrouve en train d'écrire et (quelle horreur !) j'aime plutôt ça. J'aurais pu avoir déjà terminé le cahier.

Ha! Ha!

Au DÉBUT, les parents étaient plutôt contents de me voir noter tout ce qui se passait. Mais ensuite, les choses ont dérapé.

– Tes profs vont voir ça ? a demandé ma mère. J'ai répondu que non, mais ça ne m'a pas empêché de me sentir comme un reporter dans un journal, qui raconte toutes les dernières nouvelles. (Il y en a tellement.)

L'ÉCHO DES PINS

LA PLUIE

GÂCHE LES VACANCES FAMILIALES

Le fils préféré, Tom Gates, et son journal

M. et Mme Gates ont éprouvé un choc en découvrant que leur maison était un taudis.

– J'ai l'impression de m'être fait avoir, assure M. Gates.

– Le toit fuit, et la pluie n'aide pas, déclare Mme Gates.

Leur fils, Tom, tient un journal de toute l'aventure. C'est un enfant très intelligent.

L'ÉCHO DES PINS

Certaines pages de mon journal sont un peu détrempées. (C'est arrivé pendant qu'on découvrait notre « luxueux BUNGALOW ».) Papa n'arrêtait pas de dire :

- ÇA NE PEUT *PAS* être l'endroit que j'ai loué, ça ne ressemble pas du tout à la PHOTO !

Silence

Maman paraissait un ~~peu~~ TRÈS surprise. Elle avait du mal à parler. Délia et Avril se taisaient aussi.

- Je suis sûr que ça doit être BEAUCOUP MIEUX à l'intérieur, nous a dit papa.

- J'espère, a soupiré ma mère en posant son sac à main sur sa tête avant de ⊏FONCER sous la pluie.

On a couru derrière elle. (Délia et Avril sont restées dans la voiture.) Maman a sorti la clé, mais n'arrivait visiblement pas à ouvrir la porte. Elle la tortillait dans tous les sens pendant qu'on se faisait tremper.

Mon journal

Papa a essayé à son tour, mais n'a pas réussi non plus. Puis il a repéré une petite fenêtre et m'a regardé comme s'il avait une idée.

- Tom pourrait ouvrir la porte de l'intérieur, a-t-il dit en montrant la fenêtre ouverte. Maman n'était pas certaine que ce soit une bonne idée, alors je lui ai rappelé que je suis TROP FORT POUR LES TRUCS DE NINJA

 comme sauter et atterrir. J'ai assuré : - Ça va aller.

- Ce n'est pas dangereux ? a insisté maman. Délia a crié depuis la voiture :

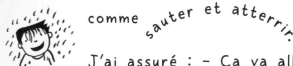 Et alors ? Qu'il grimpe là-dedans ! Allez...

Papa m'a soulevé et je suis passé lentement par la fenêtre (ce qui était assez facile).

J'ai ouvert la porte de l'intérieur et, pendant un tout petit moment, ON A TOUS ÉTÉ TRÈS CONTENTS...

MAIS ÇA n'a pas duré LONGTEMPS... papa

a trouvé que le luxueux bungalow était aussi décrépi à l'intérieur qu'à l'extérieur.

- Je n'arrive pas à croire qu'on ait fait TOUT CE

 CHEMIN POUR ÇA, a grommelé Délia, toujours aussi utile.

Avril n'a rien dit.

Moi, je n'ai pas trouvé ça SI horrible.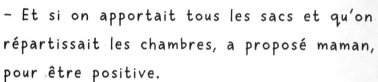

- Et si on apportait tous les sacs et qu'on répartissait les chambres, a proposé maman, pour être positive.

Ça semblait une bonne idée. Délia et Avril ont disparu rapidement et ont PIQUÉ ce qui s'est révélé être la **MEILLEURE** chambre du bungalow.

- Toi, tu es là-bas, m'a annoncé Délia en me montrant ce qui ressemblait à un placard.

(170)

La porte était TRÈS petite et, quand je l'ai ouverte, la chambre aussi. Mais ça ne me dérangeait pas. Au moins, j'étais tout seul. J'entendais les parents discuter dehors : ils s'étaient rendu compte que Délia et Avril occupaient LEUR chambre.

– Si on leur demande de changer maintenant, Délia va RÂLER pendant TOUTES les vacances. Est-ce que ça en vaut la peine ?

– Sans doute pas. Essayons de passer une semaine SANS disputes, d'accord ?

– L'ESPOIR fait vivre, répliqua papa avec un soupir.

– Vous pouvez PRENDRE MA CHAMBRE, j'ai crié. Maman a jeté un coup d'œil et déclaré que c'était « vraiment douillet » et parfait pour moi. (Je suppose que « douillet » signifie minuscule.)

– On va bien s'amuser, je te le promets, a-t-elle ajouté en me serrant dans ses bras avant de se cogner la tête contre le plafond.

Maman dit parfois DES CHOSES qui ont un autre sens. Voici quelques-unes de ses PHRASES FAVORITES :

Maman DIT	Maman VEUT DIRE
Je vais y PENSER.	Même pas en rêve.
Plus de télé, c'est l'heure d'aller au lit.	À mon tour de regarder mes émissions, maintenant.
Ça a l'air intéressant.	Je ne sais pas du tout ce que tu fais.
Termine tes légumes.	Pas de dessert tant que tu n'auras pas fini tes légumes.
Oncle Kevin va passer.	OH NON ! Oncle Kevin va passer.

Un peu de PLACE pour une autre liste :

_ _ _ _ _ _ _ _DIT	_ _ _ _ _ _VEUT DIRE
⬇	⬇

Cher Journal,

C'est la nuit, au cas où tu te demanderais POURQUOI mon écriture est un peu **tremblée.** J'écris avec une torche, sous mes couvertures.

Je ne peux pas allumer la lumière parce que l'électricité a sauté quand papa a essayé de préparer le dîner. Du coup, on est tous allés au lit de bonne heure, avec un sandwich.

Là, tout de suite, **DÉLIA** m'a **RÉVEILLÉ**, et je l'entends se plaindre aux parents... au sujet d'Avril.

Et elle leur raconte un truc archi **DRÔLE.** Il fallait que je l'écrive. Écoutez ça : **Avril,** qui n'a pas prononcé un mot de tout le voyage et de presque toute la soirée...

PARLE DANS SON SOMMEIL !

– Elle tient des conversations ENTIÈRES et ne veut pas s'arrêter. Qu'est-ce que je dois faire ?

Les parents ont dû lui suggérer de dormir dans le séjour, parce que je l'entends traîner des couvertures jusqu'au canapé. (Je me demande de quoi Avril pouvait bien parler ?)

Ha!Ha!

Ça l'embêterait DRÔLEMENT.

Alors voilà, Délia, je crois que ton frère Tom est très intelligent.

DATE	DEUXIÈME JOUR	
Temps	Pluie (mais moins forte)	Mes projets du jour
Humeur du jour	Fatigué	Dormir. Découvrir de quoi parle Avril dans son sommeil

Cher Journal,

Ce matin, je suis un peu fatigué (grâce à Avril et à Délia). J'ai défait mon sac, et j'ai vu que maman n'avait RIEN pris de ce que je voulais emporter. Pas de guitare, aucune des pierres bizarres de ma collection et, ENCORE PIRE, aucun de mes super-stylos, SANS PARLER du fait que je n'ai qu'UN seul SLIP. Comment cela a-t-il pu arriver, alors que maman en avait fait toute une histoire ? Peut-être qu'il y a un autre sac. Il faudra que je demande.

(Super...)

Tout le monde avait l'air un peu fatigué (à part Avril). J'ai parlé à voix basse de mon problème de slips à maman. Elle a répondu :

- Pardon, Tom. Je ne sais pas ce qui a pu se passer.

(Moi, je sais ! Elle LES A OUBLIÉS.)

Maman a demandé à Avril si elle avait bien dormi, et sa réponse a été :

OUI. Comme si de rien n'était.

Alors j'ai lancé : Avril, c'est vrai que tu parles en dormant ?

NON, elle a répliqué, comme si j'avais posé la question la plus stupide DE TOUS LES TEMPS.

- Mais Délia a dit... j'ai commencé, quand Délia m'a donné un COUP DE COUDE en chuchotant :

- Chuuut ! Elle ne sait pas qu'elle le fait !

chuuut !   Quoi ?   Maman aussi m'a jeté un REGARD d'avertissement, alors je n'ai plus rien dit.

Papa nous a parlé de ses PROJETS pour la journée.

— Écoutez-moi tous. Ce BUNGALOW n'est peut-être pas parfait, mais nous sommes en VACANCES, alors PROFITONS-en au maximum et EXPLORONS donc le coin.

Délia n'a pas été très sensible à ses arguments (surtout après sa nuit sur le canapé).

— EXPLORER ? Tu as dit qu'on était en vacances ! Pourquoi on ne pourrait pas se détendre ? Et en plus, il pleut TOUJOURS.

C'était la vérité.

Maman a suggéré qu'on aille faire un tour à la ville la plus proche, histoire de jeter un coup d'œil.

— On ne va pas faire des COURSES, si ? j'ai demandé, parce que ça y ressemblait bien.

— Pas nécessairement, mais on pourrait te racheter des SLIPS.

11

Génial.

Maman a reparlé de mes slips, et devant

Avril et Délia, qui a décrété que c'était

« dégoûtant ».

Ensuite, maman nous a dit :

– Votre père a raison : on <u>doit</u> profiter au

maximum de nos vacances ici tous ensemble.

Même si ce bungalow est un peu minable sur

les bords, que rien ne marche, qu'il y a des

coupures de courant, et que les chambres sont

minuscules – à part la vôtre, Délia et **Avril**.

Au moins, on dirait que la pluie s'est calmée.

Mais au moment où maman a dit ça, il y a eu

une fuite dans le plafond de la cuisine. J'ai

aidé à mettre les récipients en plastique sous

les gouttes.

– Heureusement que j'en ai apporté tout

un tas, a déclaré maman en soupirant.

– Maintenant ça suffit, a dit mon père. Voyons si on peut changer de bungalow.

Ça a redonné le moral à maman. Délia et Avril ont disparu dans « leur » chambre, et maman s'est chargée des fuites pendant que papa essayait de trouver du réseau pour son téléphone.

Moi, je me suis occupé en :

Écrivant des trucs dans mon JOURNAL.

Regardant la PLUIE. Dessinant la PLUIE. J'ai même écrit un poème sur la PLUIE en forme de GOUTTE DE PLUIE.

Il PLEUT des cordes. Ce temps est ENNUYEUX Et si ça continue de MOUILLER je vais finir par ROUILLER.

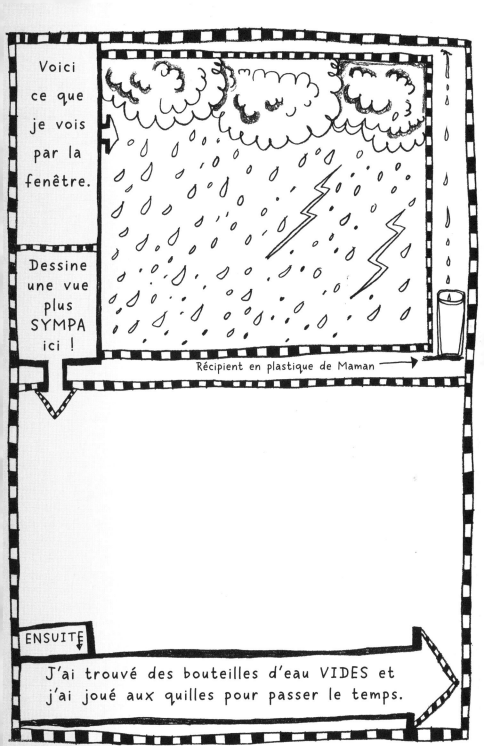

Voici ce que je vois par la fenêtre.

Dessine une vue plus SYMPA ici !

Récipient en plastique de Maman →

ENSUITE

J'ai trouvé des bouteilles d'eau VIDES et j'ai joué aux quilles pour passer le temps.

Comment jouer aux QUILLES avec des bouteilles en plastique (utile pour les jours de pluie)

Prends des bouteilles en plastique qui ont à peu près la même taille. Vérifie qu'elles ferment bien (au besoin, demande à un adulte de t'aider). Remplis-les avec assez d'eau pour qu'elles soient stables, mais pas impossibles à renverser.

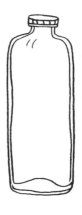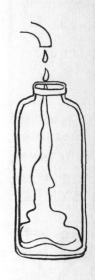

Tu peux prendre des Post-it pour NUMÉROTER les bouteilles.

Ce sont les points que vaudra chaque bouteille renversée.

Fabrique une boulette de PAPIER ALU écrasé, ou trouve une balle légère si tu joues à l'intérieur.

Tu peux garder les bouteilles vides pour les rendre plus faciles à renverser.

Décide de l'endroit où te placer, et pose une marque au sol pour que tout le monde soit à la même distance des bouteilles.

ET JOUE !

Oui!

Quand on fait tomber toutes les bouteilles d'un coup, ça s'appelle un

STRIKE

et c'est très impressionnant.

Cher Journal,

Ceci est un SAC-POUBELLE (en rouleau).
D'habitude, les sacs-poubelle servent
à mettre des ORDURES dedans,
COMME CECI.

Mais, comme je n'ai pas d'imperméable (ni
de blouson ni RIEN), maman a trouvé que ce
serait une bonne idée de me fabriquer une cape
de pluie avec un SAC-POUBELLE.

– Ça te gardera au sec quand on sortira,
a-t-elle dit.

– Non, merci ! j'ai répondu. Je préfère
encore être MOUILLÉ que de mettre un SAC-
POUBELLE.

– On va peut-être devoir marcher sous une
pluie BATTANTE, et tu seras TREMPÉ !
(Je n'étais toujours pas convaincu.)

– Personne ne te verra... m'a assuré maman.

– SI, on me verra, c'est un SAC-POUBELLE, pas
une CAPE D'INVISIBILITÉ !   (J'aimerais bien.)

- Personne que tu CONNAIS ne te verra.
Et ce ne sera pas pour longtemps. On doit
aller en ville t'acheter des slips.
(Maman a encore dit le mot SLIP.)
Puis elle a ajouté...
- Et une petite SURPRISE
Alors j'ai mis la cape.
Eh bien voilà. Ce n'est pas mal du tout,
non ? a dit ma mère, en rajustant la
capuche.
- Pourquoi est-ce que Tom a un
SAC-POUBELLE sur la tête ? a questionné Délia.
(Elle débarque TOUJOURS au MAUVAIS moment.)
Avril m'a regardé sans rien dire.
- C'est une CAPE DE PLUIE, j'ai corrigé.
- C'est un SAC-POUBELLE, a insisté Délia.
- On ne peut pas savoir que c'est un sac-
poubelle, a essayé de nous convaincre maman.
- Euuuuh... SI, on PEUT, a répliqué Délia avec
un sourire moqueur.
- Je m'en fiche parce que je vais avoir une surprise,
j'ai dit, comme si ça y changeait quelque chose.

- J'espère que ta surprise sera mieux que ton SAC-POUBELLE, a commenté Délia en RIGOLANT.

J'étais sur le point de retirer la « cape de PLUIE » quand papa est arrivé comme un bolide en nous annonçant qu'on n'allait NULLE PART.

- La voiture est enlisée dans une GROSSE flaque de boue. Elle est coincée. Rita, mets-toi au volant, et on va TOUS POUSSER un bon coup.

- On ne va pas aller se faire tremper sous la pluie, a protesté Délia.

- T'as qu'à te faire une cape de pluie, j'ai suggéré.

- Et avoir l'air ridicule ? Non, merci.

- Allez, Délia, on doit tous aider. Si vous voulez qu'on sorte, il va falloir faire avancer cette voiture, a déclaré papa.

À contrecœur, Délia et Avril ont mis leur veste sur leur tête et nous ont suivis jusqu'à la voiture (sous la pluie).

- Et on appelle ça des vacances... a marmonné ma sœur.

Maman a fait démarrer le moteur et essayé de faire bouger la voiture, mais ça n'a rien donné.

Coincé

Alors on s'est mis derrière l'auto, et papa a dit :

- À TROIS, on pousse tous ensemble. PRÊTS ?

UN... DEUX... TROIS...
POUSSEZ !

Pendant qu'on poussait, maman a ACCÉLÉRÉ vraiment FORT !
Les roues ont tourné...

TRÈS FORT

La voiture était toujours EMBOURBÉE, mais au moins j'ai réussi à ÉVITER la gadoue.
(Grâce à ma cape de pluie, et à papa.)

— Ce sont les PIRES VACANCES IMAGINABLES !
s'est écriée Délia, hors d'elle.
Avril était d'accord. Je crois.
(C'était difficile à dire,
sous toute cette boue.)

- Je ne suis plus aussi ridicule,
MAINTENANT !
je leur ai fait
remarquer pendant
qu'elles retournaient
au bungalow,
dégoulinantes de boue.

La voiture n'irait nulle part, et nous non plus.

 - Je crois que je vais devoir aller chercher de l'AIDE, a conclu papa.

- Bonne idée, mais on va peut-être d'abord se changer ? a répliqué maman en vidant une fois de plus l'eau de pluie de ses boîtes en plastique.

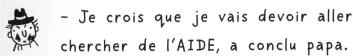 - Évidemment ! a acquiescé papa.

(Moi, j'ai juste eu à ôter ma cape de pluie.)

Propre !

On allait devoir rester ici un bon moment alors, grâce à maman qui n'a pas pris mes AFFAIRES ☹, je me suis dit que j'allais voir ce qu'il y avait dans le bungalow.

En bas d'une bibliothèque, il y avait un placard, et j'ai trouvé des trucs intéressants :

Un jeu de cartes (incomplet).

Une boîte de jeux de société (avec juste un jeu de l'oie, un seul dé et pas de pions).

Une vieille lunette et une carte du ciel (même si on n'a pas vraiment besoin de savoir comment y aller).

Quelques livres d'un certain Harlequin.

 Et deux trousseaux de clés, que j'ai donnés à maman.

Elle était vraiment contente, parce que les deux ouvraient la porte d'entrée (contrairement à celles qu'on avait déjà). ☺

Je lui ai montré les autres trucs que j'avais déniché, et maman m'a demandé si je voulais faire une partie du jeu de l'oie, ce qui était **GÉNIAL** - C'est ça qui est bien avec les vacances, a dit maman en sortant des pièces différentes de son porte-monnaie. On a PLEIN de temps pour faire CE GENRE de choses.

Elle a posé les pièces sur le jeu pour servir de pions. J'étais l'euro, et elle était les 50 centimes. On allait lancer le dé quand on a entendu papa **CRIER** sous la douche.

Il ne reste PLUS d'eau chaude !

Maman a **RI** et lui a dit que c'était un bon entraînement pour aller surfer dans la mer froide. J'ai gagné deux parties de jeu de l'oie sur trois. **ET** après ça, maman a sorti du papier alu et m'a montré...

... comment faire une ARAIGNÉE EN ALU (Brillant !)

Prends un rouleau de PAPIER ALU et arraches-en ou découpes-en trois bandes. Fais attention, ou demande à un adulte de t'aider si tu prends des ciseaux.

Replie une bande deux fois dans le sens de la longueur pour avoir une patte mince, mais qui se TIENNE.

Tu peux aussi l'ÉCRASER un peu pour qu'elle soit plus ronde.

COMME CECI

Maintenant, fais la même chose avec une DEUXIÈME bande d'alu.

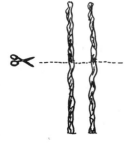

Quand tes deux pattes sont prêtes, coupe-les au milieu afin d'obtenir quatre pattes de la même longueur.

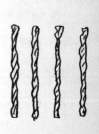

Pose les pattes les unes sur les autres en leur donnant une vague forme d'ÉTOILE. Puis maintiens-les au milieu et tords doucement les pattes toutes ensemble. Ça t'aidera à fabriquer le corps de l'araignée.

Une fois que tu as les pattes, sers-toi de la dernière bande de papier alu pour ENVELOPPER le milieu des pattes, dans le but d'obtenir un corps.

Continue d'ajouter des bandes d'alu et presse les côtés pour lui donner une FORME D'ARAIGNÉE jusqu'à ce que tu obtiennes la grosseur que tu veux.

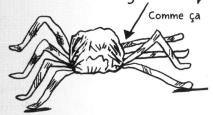

Comme ça

Puis replie doucement les pattes pour donner à l'ensemble l'apparence D'UNE ARAIGNÉE.

Tu peux peindre ta bestiole... ou bien juste lui faire des YEUX.

Une araignée

C'est incroyable ce qu'on arrive à faire pour se distraire quand on est coincé à l'intérieur pendant longtemps.

DATE	TROISIÈME JOUR	
Temps	Nuageux, encore de la pluie	**Mes projets du jour**
Humeur du jour	Plein d'espoir	LA PLAGE si la pluie s'arrête (raté). ☺

Cher Journal,

C'est la PREMIÈRE chose que j'ai vue
en entrant dans la salle de bains ce matin.

← MON SLIP

accroché à la barre du rideau de
douche. On l'avait lavé, ce qui aurait
été bien... s'il avait été SEC.

(Il ne l'était pas.)

Et comme c'est mon seul slip, j'ai dû
le mettre MOUILLÉ...

... Ce qui était très désagréable au début, jusqu'à ce que ça se réchauffe.

Délia a passé la nuit sur le canapé (encore) à cause d'Avril qui PARLAIT EN DORMANT. Bla Bla Bla

Curieusement, ça ne l'a pas mise trop de mauvaise humeur (contrairement à hier).

Bonjour, Tom.

Je crois que c'est parce que Délia et Avril sont allées au CLUB-HOUSE DE LA CÔTE DES PINS hier soir. Elles ont trouvé un plan qui indiquait où c'était, et ont annoncé aux parents :

– On sort pour trouver un peu de VIE...

– Je vous accompagne, j'ai dit.

– Je ne crois pas, non... pas après le coup de l'araignée.

(Au moins, ça a marché.)

– On vous rejoindra tous plus tard, Délia, a déclaré maman.

CETTE nouvelle a paru la mettre en JOIE.

(Pareil pour Avril.)

ENFIN, papa a réussi à trouver du réseau

et a pu appeler les propriétaires du bungalow,

qui ont été surpris qu'on ne s'y

plaise pas et ont assuré que

c'était un de leurs PLUS luxueux.

- Je ne voudrais pas voir les autres

alors ! s'est exclamée maman.

Papa nous a dit qu'ils avaient accepté

d'échanger, ce qui est une

bonne nouvelle.

Quel soulagement !

Délia et Avril attendaient pour sortir,

alors maman leur a fait promettre :

☆ D'être raisonnables.

☆ D'être polies. ◄——— Pas évident

★ De prendre un jeu de clés.

★ De prendre des sacs-poubelle au cas

où il pleuvrait.

(Encore.)

Délia en a fourré deux à contrecœur dans son

sac... et a demandé un peu d'argent.

Je leur ai fait de GRANDS SIGNES...

au revoir

et elles m'ont ignoré.

198

Une demi-heure plus tard, on est partis les rejoindre.

J'avais vraiment faim et très hâte de voir par moi-même le CLUB-HOUSE DE LA CÔTE DES PINS.

(En tout cas, c'était le PROJET, mais, comme d'habitude, rien ne s'est passé comme prévu.)

– Est-ce qu'on est perdus ? j'ai demandé alors qu'on tournait en ROND pour la TROISIÈME fois.

– Ça ne doit pas être TRÈS loin : Délia répète toujours qu'elle déteste la marche, a remarqué papa.

Je pouvais sentir des PARFUMS DE NOURRITURE qui me donnaient encore plus faim.

– Le club-house doit bien être par ici, a ajouté maman.

Après une VINGTAINE de minutes, il s'est mis à pleuvoir vraiment FORT.

– C'est bon, j'abandonne, a dit papa.

Et on est retournés au bungalow.

Sacs-poubelle

– Qu'est-ce que vous avez fabriqué ?
a demandé Délia en rentrant.

– Papa s'est perdu, j'ai répondu.

– C'était difficile à trouver ! a-t-il protesté.
OÙ EST-CE QUE VOUS ÉTIEZ ?

– Au CLUB-HOUSE,

comme prévu.

(Ça ne nous aidait pas vraiment.)
ALORS, CE SOIR, on va tous
au club-house avec Délia, Avril et SURTOUT,
LE PLAN. La pluie s'est presque arrêtée
et la BONNE NOUVELLE, c'est que la
FLAQUE DE BOUE autour de la voiture a
quasiment disparu. Papa pense qu'on va pouvoir
dégager la voiture et même...
aller à la PLAGE.

« Ouais ! La PLAGE ! »

j'ai crié en faisant des bonds.

Délia ne voulait pas venir avec nous, et j'ai trouvé ça **BIZARRE.** <u>QUI</u> n'a pas envie d'aller à la PLAGE ? C'est plus marrant que de rester à l'intérieur. »

- Vous êtes sûres ? Nous allons faire un pique-nique, a dit maman, comme si ça y changeait quelque chose.
- Il va juste encore pleuvoir. Et puis on veut retourner au CLUB-HOUSE. Si on peut avoir encore un peu d'argent ? elle a ajouté.

(Je n'ai pu qu'admirer la façon dont elle a glissé ça en passant.)

Papa nous a rappelé qu'on déménageait dans un bungalow plus LUXUEUX cet après-midi.

- Plus de fuite au PLAFOND, j'espère ! a-t-il ajouté au moment où une GROSSE GOUTTE

me tombait

sur la tête.

Hein ?

Le MIEUX dans le fait que Délia et Avril ne viennent pas à la plage avec nous, c'est que j'ai pu récupérer MA place dans la voiture. ➡️ Oui !

Avant que papa ne charge la boîte à pique-nique dans le coffre, maman a dit :

– Vérifions que la voiture n'est plus enlisée, d'accord ?

Ça paraissait une bonne idée. Au cas où, papa et moi, on s'est rangés HORS DE PORTÉE DE BOUE. (Ça roulait.)

On a sauté dans la voiture et on a suivi les panneaux qui indiquaient la plage

(c'était FACILE à trouver et PAS très éloigné.)

La plage était vraiment très chouette... jusqu'à ce qu'on descende de voiture.

– Au moins, le VENT est CHAUD... a commenté papa.

(Il n'était pas si chaud que ça.)

Il y avait déjà des gens qui surfaient. On a eu du mal à avancer pour trouver un bon endroit où s'installer. Je n'arrêtais pas de me prendre du sable dans la FIGURE, alors j'ai mis des lunettes de piscine pendant que maman calait les serviettes avec des pierres.

— Fais attention en t'asseyant, m'a-t-elle conseillé.

Papa a essayé de se changer, ce qui n'est jamais évident sur une plage balayée par le VENT.

— Allez, Tom, on y va ! a-t-il dit avec enthousiasme.

— Soyez prudents, d'accord ? a lancé maman.

— Mais oui, j'ai le surf dans le sang, a rappelé papa en riant.

Et on est partis...

Papa

AVANT

Papa

APRÈS

Il a tenu deux minutes avant de perdre l'équilibre et de se faire renverser par une vague. Des enfants l'ont aidé à se relever et ont rattrapé sa planche.

– Il me faudrait peut-être une combinaison de plongée, a dit papa en sortant.

J'ai passé plus de temps que papa dans l'eau, et je n'en suis sorti que quand mes doigts ont commencé à devenir tout bleus (c'était un peu froid). Papa était en train de raconter à maman que la vague était ÉNORME pendant qu'elle lui mettait un sparadrap sur le nez (la vague n'était pas grosse). Au moins on a réussi à manger nos sandwiches avant que le VENT ne mette du sable plein notre pique-nique.

– Heureusement que je les avais mis dans des boîtes en plastique, a dit maman.

J'allais faire une petite exploration dans les rochers quand le ciel s'est assombri d'un coup et il s'est mis à PLEUVOIR des cordes (ENCORE). On a juste eu le temps de retourner à la voiture.

DATE		QUATRIÈME JOUR
Temps	Pas super	**Mes projets du jour**
Humeur du jour	Bon début	Plus de sacs-poubelle. JAMAIS

Cher Journal,

Même s'il a plu hier, j'ai ADORÉ aller à la plage. Je me suis senti vraiment en vacances. Mais ÇA, c'était HIER matin. Ce qui s'est passé l'après-midi a sans doute été le moment le PLUS gênant de TOUTE ma VIE. (Jusqu'à présent.)

Comme il pleuvait des trombes, les parents ont décidé que c'était le bon moment pour aller se réapprovisionner en ville.

– Et te racheter des SLIPS, a ajouté maman.

J'en ai profité pour leur rappeler la
SURPRISE qu'ils m'avaient promise.
(Ce qui était BIEN plus important.)
Papa a trouvé le centre-ville et les magasins.
Il y avait beaucoup de monde et NULLE PART
où se garer. Il a tourné un
bon moment en rond avant
que maman repère une place.

Vite!
Mets-toi là! a-t-elle HURLÉ.
Papa a dû s'y
reprendre à plusieurs fois, mais il a réussi à se
garer. C'était franchement loin pour retourner
dans les rues commerçantes (et la PLUIE
tombait toujours très **fort**).
— Ne t'en fais pas, Tom, j'ai d'autres
sacs-poubelle pour que tu ne sois pas mouillé.
J'en ai mis un en ne pensant qu'à ma
SURPRISE.

Pffff.

On a trouvé très *vite* un magasin de
vêtements, et, HEUREUSEMENT, le
rayon garçons était près de l'entrée. Il y avait
PLEIN de monde.
Je n'avais pas envie de rester là longtemps
(papa non plus). J'allais ôter ma cape de
pluie quand maman a brandi un slip de garçon
et a lancé VRAIMENT FORT :

- ÇA T'IRAIT
ÇA, TOM ?
TU FAIS QUELLE
TAILLE DE SLIP ?

Je voulais me cacher, alors j'ai gardé ma cape
de pluie tandis que maman agitait un
CALEÇON comme si c'était un DRAPEAU.

208

– Lesquels tu préfères ? Boxers, slips, un caleçon à RAYURES, ou regarde ce CALEÇON de SUPER-HÉROS, c'est MARRANT !

– Moi, je voudrais un CALEÇON DE SUPER-HÉROS, s'il te plaît ! a renchéri papa.

Ça commençait à faire un peu trop. Il y avait d'un côté mon père avec son sparadrap sur le nez, et de l'autre ma mère qui agitait un CALEÇON.
Et moi qui portais un sac-poubelle pour essayer de cacher mon EXPRESSION très gênée.
Ou c'est ce que je croyais.
Jusqu'à ce que quelqu'un me tape sur l'épaule en disant :

– C'est bien toi, Tom ?

LA DERNIÈRE PERSONNE

QUE JE M'ATTENDAIS À VOIR

ÉTAIT BIEN

AMY PORTER.

– C'est un sac-poubelle que tu as sur le dos ? s'est-elle étonnée.

Très gêné, j'ai réussi à marmonner « Salut » et que c'était une « longue histoire ». Mais au moins, ma mère a arrêté de parler de SLIPS et de CALEÇONS.

La mère d'AMY était là aussi, et il se trouve qu'elles séjournaient aussi à LA CÔTE DES PINS – seulement dans un très joli bungalow (pas comme le nôtre).

Toute cette conversation sur les bungalows a rappelé à papa qu'on devait déménager.

– On ferait mieux d'y aller, a-t-il déclaré, ce qui a été pour moi un ÉNORME soulagement.

 Alors qu'on sortait (encore) sous la pluie, AMY m'a dit :
– Je te verrai peut-être au CLUB-HOUSE, Tom ?

– Si on arrive à le trouver, j'ai répondu, toujours mal à l'aise.

Ça ne m'a même pas gêné de ne PAS avoir de SURPRISE tant j'étais content de

partir VITE.

Cape en sac-poubelle

Sur le chemin du retour, les parents ont encore discuté pour savoir qui avait eu l'idée de louer à LA CÔTE DES PINS au départ.

 – Comment se fait-il que la mère d'**AMY** ait eu un beau bungalow, et pas <u>nous</u> ?

– Bonne question, a répondu papa.

(Je n'ai rien dit. Je n'arrive toujours pas à croire qu'**AMY** soit ici.)

Quand on est rentrés au bungalow, il n'y avait aucun signe des propriétaires ni de Délia et Avril. Elles avaient laissé un mot qui disait :

(Elle s'était servie d'un de mes Post-it, ce qui m'a embêté.)

Parties au club-house.
À plus tard.
(Peut-être.)

Papa a appelé les propriétaires, et je l'ai
entendu dire :

- Allô, bonjour, c'est Frank GATES. Je
ne vous vois pas. Je suis ICI, où êtes-
vous ? Ça ne ressemble pas du tout au
bungalow que j'ai loué. Tout de suite, je vous
prie. Merci.

Puis papa nous a demandé de faire les bagages.
- Ils passent nous prendre maintenant.

- Enfin ! s'est exclamée maman.

Il ne m'a pas fallu longtemps pour remettre
toutes mes affaires dans mon sac, alors
pendant qu'ils cherchaient à savoir qui était
responsable (encore), je me suis souvenu de la
vieille lunette que j'avais trouvée. C'était le
moment ou jamais de l'utiliser.

Je l'ai emportée au fond du bungalow, et j'ai regardé par la fenêtre de la salle de bains.

Au début, je n'ai pas vu grand-chose, et puis, par une T R O U É E dans les arbres, j'ai vu quelque chose qui avait bien l'air d'être...

LE CLUB-HOUSE

Le CLUB-HOUSE

LA CÔTE DES P

J'ai réglé la lunette. C'était bien le CLUB-HOUSE. Comment est-ce qu'on avait pu le rater ?

(C'était tout près.)

Pendant que j'observais, deux personnes qui m'ont paru TRÈS familières sont montées sur la petite scène.

J'ai de nouveau RÉGLÉ la lunette parce que c'était un peu flou et pour être sûr de ce que je voyais.

Et LÀ...

J'ai repéré...

Délia et Avril en train de CHANTER!

Et elles avaient **MÊME** l'air de s'amuser.
C'était très troublant. Je voulais continuer à
les regarder, mais les parents m'ont appelé en
disant qu'il fallait partir.

Qu'est-ce que tu pourrais voir d'autre...

à travers la lunette ?

Un OVNI ?

Un lapin qui danse ?

Un extraterrestre ?

Marcus ?

Je voulais parler de Délia et d'Avril aux parents, mais je n'en ai pas eu l'occasion. Ils avaient déjà fait les bagages et m'ont dit de me **DÉPÊCHER** ! PARCE qu'on avait passé tout ce **TEMPS** **AU MAUVAIS ENDROIT.**

Apparemment, LA CÔTE DES PINS s'est déplacée sur un autre site l'année dernière, et nous, on a atterri dans le vieux. Les parents n'arrivaient pas à y croire quand les propriétaires leur ont appris ça !

— Vous voulez dire que nous n'étions pas dans le bon bungalow ?

(C'était exactement ça.)

Après cette nouvelle, on est montés en voiture et on a suivi les propriétaires jusqu'au NOUVEAU BUNGALOW, qui était INFINIMENT PLUS beau.

— Ça ressemble aux photos ! j'ai dit aux parents, ce qui était une BONNE chose.

Les propriétaires se sont demandé comment on avait réussi à entrer dans le VIEUX bungalow avec les mauvaises clés.

J'ai bien vu que les parents n'avaient pas envie que je raconte mes sauts de ninja et mes talents certains pour passer par les fenêtres.

Alors je n'ai rien dit.

De toute façon, ça n'avait plus vraiment d'importance... parce que j'avais une chambre plus grande, même si ce n'était que pour une seule nuit, et on avait vue sur le CLUB-HOUSE. Maman a dit qu'on ferait mieux de prévenir Délia et Avril qu'on avait déménagé.

— Elles sont là-bas, en train de chanter, je leur ai appris en désignant le CLUB-HOUSE. Je les ai VUES.

Papa a eu l'air perplexe.

- Chanter ? Tu es SÛR ? Il faut que je voie ça, a-t-il répliqué.
Mais, le temps qu'il arrive au CLUB-HOUSE, elles avaient déjà terminé. Alors il les a ramenées au nouveau bungalow.

sympa...

- Je n'arrive pas à croire qu'on se soit trompés de bungalow ! s'est écriée maman.
- Moi, si, a assuré Délia.
Maman a changé de sujet en demandant comment était le CLUB-HOUSE.
- Il faut qu'on y aille tous CE SOIR, a-t-elle ajouté.

- Oh, c'est d'un ennui ! Ça ne va pas vous plaire. N'y allez pas, a AUSSITÔT rétorqué Délia.
- Vous aviez pourtant l'air de bien vous amuser toutes les deux, quand je vous ai regardées avec ma lunette ! j'ai commenté.
Pendant une seconde, Délia est restée muette.
(Avril n'a pas dit grand-chose non plus.)

Hein ?

Je croyais que c'était vraiment embarrassant d'avoir été vu par **AMY** en cape de sac-poubelle, mais à côté de ce qui s'est passé ensuite, ce n'était RIEN DU TOUT...

PLUS TARD

Maman a réussi à persuader Délia et Avril de venir avec nous au CLUB-HOUSE (maintenant qu'on savait où c'était).

– C'est notre DERNIÈRE CHANCE – on va passer une BONNE soirée, a assuré maman. Et vous pourrez nous montrer à quel point vous êtes DOUÉES comme chanteuses :

La!
La! La! La! La!

(Moi en train → d'imiter Délia et Avril qui chantent.)

- Je les ai déjà vues chanter, j'ai dit Ha ! Ha ! en rigolant.

- Ce n'était pas nous. Tu racontes n'importe quoi, a grogné Délia.

(C'était absolument faux, et j'allais le PROUVER.)

Quand on est arrivés au CLUB-HOUSE, j'ai montré les affiches de KARAOKÉ collées un peu partout et le tableau de classement de KARAOKÉ fixé au mur.

- REGARDEZ ! Délia et Avril sont TROIXIÈMES ! j'ai crié bien FORT ! (Elles étaient en train de grommeler.)

* * TOP 5 * * DU KARAOKÉ	
1	☆ PIP ☆
2	CHRIS ☆
3	AVRIL & DÉLIA
4	★ ALI ☆
5	VICKY

- C'est bon, Tom... il fallait bien qu'on trouve quelque chose à faire. On n'a chanté qu'une seule fois, pas vrai, Avril ?

Avril a hoché la tête.

- On ne pourrait pas juste commander à manger ? a soupiré Délia.

Ce n'était pas une si mauvaise idée. 😊

Pendant qu'on dînait, papa a repéré quelque chose de très intéressant.

- Regarde, Tom. Ce soir, il y a un billet familial pour PLANÈTE CHOCOLAT à gagner. On se lance ?

(J'étais presque tenté.)

- J'en suis ! a dit maman, pleine d'enthousiasme.

- Pas nous, a marmonné Délia.

Papa nous a inscrits, et j'ai pensé très fort au chocolat avant d'accepter (finalement) de chanter une chanson des BEATLES.

(Grâce à M. Fingle, j'ai écouté des tas de vieux groupes et je connais plein de leurs chansons.)

Le seul problème, c'est que quand ça a été à notre tour de choisir, au lieu d'appuyer sur le bouton de « LET IT BE »

maman s'est trompée et a appuyé sur...

Celle-là ?

Hein ?

Délia et Avril sont parties à la moitié du deuxième couplet, mais à part elles, tout le monde a paru apprécier notre prestation, et on a même été TRÈS applaudis à la fin.

Ça a presque rattrapé la HONTE de faire un KARAOKÉ avec son père et sa mère.

J'étais juste content que ce soit TERMINÉ.
(Fini les moments embarrassants.)

Et puis j'ai remarqué qu'on ME faisait signe du fond de la salle.

POURQUOI FALLAIT-IL QUE CE SOIT AMY PORTER ?

Maintenant, elle m'avait vu chanter « la Reine des neiges » avec mes parents déchaînés en plus de m'avoir vu avec un sac-poubelle en guise d'imperméable. J'espérais juste qu'elle ne parlerait pas à trop de monde à l'école de... enfin, de tout ça.

Tu peux dessiner ce que tu veux sur cette page. (C'est une page de DISTRACTION.)

DATE	CINQUIÈME JOUR	
Temps	Ensoleillé	**Mes projets du jour**
Humeur du jour	plein de peps	Plein (quand je serai rentré)

Cher Journal,

J'aime les vacances, et celles-ci ont eu leurs ☆BONS☆ moments. (Quelques-uns...)

Dès que nous avons chargé la voiture et quitté LA CÔTE DES PINS, les nuages ont disparu et le SOLEIL s'est montré.

- C'est toujours comme ça, a grommelé maman tandis qu'on s'éloignait.

C'est difficile de savoir si Avril s'est amusée ou pas. Elle n'a pas dit grand-chose de tout le chemin du retour.

Délia a annoncé que c'était la dernière fois de toute sa vie qu'elle venait avec nous en vacances.

Salut.

Merci.

 je me suis écrié, juste

pour vérifier que ce n'étaient

pas des paroles en l'air.

(Comme ça, Derek pourrait à coup sûr venir

avec nous la prochaine fois.)

Maman, elle, a répondu :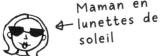

- Nous verrons. Tu n'as pas

encore tout à fait l'âge de rester toute seule.

𝔻élia n'a pas été ravie. Elle a commencé à leur

RAPPELER TOUT ce qui avait MAL tourné.

- Donc, MOI, je peux trouver le CLUB-

HOUSE alors que vous n'en êtes même pas

capables, mais je ne suis pas assez grande pour

rester toute seule ?

 — C'est ça, Délia...

        — Mais c'est INJUSTE !

Elles se sont disputées pour de bon jusqu'à ce

que papa se mette à chanter pour les faire taire.

 -LIBÉRÉE, DÉLIVRÉE...

Ça a eu l'air de marcher.

(Même si ça m'a rappelé la honte du karaoké...)

Là, tout de suite,

Je suis TRÈS content d'être revenu dans ma

MAISON À MOI,

dans ma

CHAMBRE À MOI,

avec mes

AFFAIRES À MOI

BD
Feutres
Friandises

(et toutes les choses que maman n'avait pas emportées).

Je ne suis pas ravi de retrouver ÇA. (La chemise et les fiches d'exercices que je dois encore terminer pour l'école.) Il me reste encore quelques jours – PAS la peine de me presser. Alors je décide que le PLUS important et le plus URGENT est...

d'annoncer à Derek que je suis REN⌐
des Post-it collés sur ma fenêtre.

ET CELLE-CI est pour ma PORTE
(pour des raisons évidentes).

TE	septième ~~SIXIÈME~~ JOUR	
Temps	Pluie (encore)	**Mes projets du jour**
Humeur du jour	RELAX	RÉPÉTITION

C_{her} Journal,

P_{ardon} d'avoir oublié d'écrire hier, mais j'étais trop occupé à M'AMUSER.

S_{ur} un VACANÇOMÈTRE, notre séjour à la Côte des Pins s'est terminé à peu près là

J'espère qu'à la rentrée, AMY PORTER ne parlera pas de ma prestation au karaoké...

... où l'aiguille pourrait retomber sur **NULLES**.

Je n'ai jamais eu la SURPRISE que maman m'avait promise. Alors, APRÈS

QUELQUES ALLUSIONS, j'ai quand même eu quelques bonnes choses pour la répétition de **CLEBSZOMBIES**.

J'ai dû coller un mot sur mes GAUFRETTES pour tenir ma FAMILLE À DISTANCE. (Papa avait tourné autour avec un air affamé.)

Oh, des gaufrettes!

Ça a marché et j'ai pu emporter le paquet entier chez Derek avec les autres friandises que j'avais réservées. On en avait une bonne provision, et la première chose qu'on a faite a été de PARTAGER tout en trois. (Ça a pris un moment.)

Ensuite, on a passé les DEUX HEURES suivantes à répéter les **MORCEAUX** de **CLEBSZOMBIES** et à parler de musique, jusqu'à ce que Derek se lève et LANCE...

On a poussé des cris de joie et on a sauté partout jusqu'à ce que le père de Derek vienne nous dire :

Du calme, les garçons...

Alors on s'est calmés.

Hourra pour les CLEBSZOMBIES !

(C'est sûr qu'on va travailler à CE PROJET...
À SUIVRE.)

DATE	Huitième ~~SEPTIÈME~~ JOUR	
Temps	Pluie (encore)	**Mes projets du jour**
Humeur du jour	PANIQUE	ESSAYER DE NE PAS PANIQUER

Cher Journal,

Ce matin, c'est la PLUIE et le tonnerre qui m'ont réveillé. C'était pénible. (J'ai eu ma dose de mauvais temps pendant les vacances.) ET PUIS j'ai repéré ma CHEMISE EN CARTON BOURRÉE de fiches d'exercices à faire.

Avec toutes les répétitions et autres distractions (goûters), j'avais oublié de les terminer.

Je me demandais CE que j'allais bien pouvoir faire. ET PUIS je me suis souvenu de  Ma LISTE...

D'EXCUSES!

pour les devoirs pas faits ! (Génial ! J'étais sûr que ça me servirait !)

Je l'ai bien ÉTUDIÉE, et une excuse m'a sauté aux yeux.

(PAS celle des extraterrestres, cette fois.)

Alors je suis allé à l'école sous la PLUIE BATTANTE en me servant de la chemise en carton comme d'un PARAPLUIE pour garder MA TÊTE au sec. Malheureusement, toutes mes fiches d'exercices ont été TREMPÉES et complètement FICHUES ! (oh, non... quelle CATASTROPHE !)

M. Fullerman ne m'a pas laissé m'en sortir comme ça. Il m'a lancé un regard sévère, m'a donné de nouvelles fiches et un tout petit peu plus de temps pour les finir. C'était mieux que rien.

Oups .

Marcus a trouvé que j'avais de la chance. Et puis il a dit un truc auquel je ne m'attendais VRAIMENT pas...

- Hé, Tom, j'ai quelque chose pour toi !

 - Vraiment ? Merci, Marcus.

Alors il a soulevé son cartable, et, juste derrière, il y avait une TABLETTE de chocolat de PLANÈTE CHOCOLAT !

- WAOUH ! c'est pour moi ? j'ai demandé.

(Même Amy avait l'air étonné.)

- OUI, Tom,

c'est TOUT POUR TOI,

a répondu Marcus avec un sourire.

Je suis donc allé la prendre...

... et, BIEN ENTENDU,

l'emballage était vide.

Marcus ne pouvait plus s'arrêter de RIRE

à sa propre BLAGUE.  Ha! Ha! Ha! Ha! Ha! Ha! HA! HA!

Au bout d'une demi-heure, ça a commencé à

Pfffff... devenir pénible.

Alors je me suis servi d'un

— de mes derniers Post-it

pour écrire un petit message.

À cet instant, **AMY** m'a donné un coup de

coude et m'a glissé :

— Tu sais ce que tu devrais

faire, MAINTENANT, Tom ?

— Non, **AMY**, quoi ? j'ai demandé.

— Sois libéré, délivré, et ignore-le,

a-t-elle répondu en RIANT.

Tu n'étais pas mauvais du tout et

c'était DRÔLE ! a-t-elle ajouté, ce qui a

rendu l'épisode moins gênant.

— En fait, **AMY**, tu as raison.

Alors, je me suis servi de mes talents de

ninja...

... pour faire un truc très utile.

Avec quelques POST-IT, je fabrique un flip book. MÉTHODE :

Choisis d'abord ce que tu veux dessiner sur une feuille de brouillon. (Commence par quelque chose de simple !) Voici comment faire la tête de M. Fullerman avec ses YEUX DE LYNX.

1   2   3   4   5   6   7   8

Dans le coin de chaque Post-it, en commençant par la dernière, dessine ton premier visage.

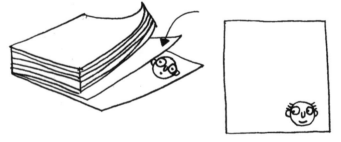

Ensuite, sur la fiche précédente, suis le contour de la tête en transparence en ne changeant légèrement que les yeux et la bouche, comme sur le dessin 2.

Continue de calquer la même tête en modifiant les yeux
à chaque fiche.

Ça prend du temps, mais
quand tu en as dessiné
un petit tas, feuillette
rapidement le livret
avec le pouce pour voir
comment ça bouge. Plus
tu auras dessiné d'images,
mieux ça marchera.

Voici d'autres idées à essayer :
Un BONHOMME ALLUMETTE qui saute.

Délia qui se prend un jet de boue !

 **A**

Apprendre
à Coq à
danser

B

Bondir

C Clebszombies

Clebszombies

D

Dessiner

I

Imaginer

J

Jogging

K

Karaoké

L

Lunettes
(voler celles
de Délia !)

Q

Quiz
(qui c'est le plus
fort ?)

R

Rire
(aux blagues
nulles de papa)

S

Sérieux
(mais pas trop non plus !)

T

Tacher

X

X (comme les rayons qui
permettent de voir à travers
tout)

Y

Yoyo
araignée

Z

Zzzzzz
(dormir)

E
Embêter
Délia

F
Faire du
tambour sur
mes joues

G
Gaufrette

H
Hop !

M
Musique

N
Ninja

O
Orange en
croquis-fruit

P
Pitre

U
Un
monstre
robot

V
Voler
(pas moi, mon cerf-volant !)

W
Wouah !

ABÉCÉDAIRE de

PLEIN DE TRUCS

pour lesquels je suis hyper brillant
(et de choses que j'aime).

Voici deux pages rien que pour toi, sur lesquelles tu peux dessiner (amuse-toi).

Vrai ou Faux – réponses...

		VRAI	FAUX
1	Le pingouin est bien un oiseau.		X
2	L'ananas pousse par terre.		X
3	L'araignée a bien huit pattes.	X	
4	On obtient du vert quand on mélange du jaune et du bleu.		X
5	Les licornes sont des créatures imaginaires.		X
6	La capitale de l'Australie est Canberra.		X
7	Le miel est produit par les abeilles.	X	
8	Vrai – mais ils sont tous morts et l'espèce est aujourd'hui éteinte.	X	
9	Du rouge et du jaune donnent de l'orange.	X	
10	L'animal le plus rapide est le guépard.		X

. Et les réponses aux questions que j'ai inventées.

	VRAIX	FAUX
Le chien de Marcus est minuscule.		X
Mme Cherington a un petit peu de moustache.		X
Aucun doute là-dessus !	X	
Les gaufrettes au caramel sont un délice.	X	
Mes cousins adorent les films d'horreur.		X
Oncle Kevin ne sait pas tout, même s'il le croit.		X
Vrai – et en plus, ce sont des yeux de lynx.	X	
Toutes mes photos sont épouvantables.	X	
Délia est toujours grincheuse quand je la vois.		X
Vrai – et en plus, il partage ses bonbecs.	X	

Quand Liz était petite, elle aimait dessiner, peindre et fabriquer des choses. Sa maman disait toujours qu'elle était très douée pour mettre le bazar (et c'est encore vrai aujourd'hui).

Elle n'a jamais arrêté de dessiner et est entrée aux beaux-arts, où elle a obtenu un diplôme de graphiste. Elle a été graphiste et directrice artistique dans l'industrie du disque, mais ses dessins apparaissent sur toutes sortes de produits.

Liz est auteure-illustratrice de plusieurs albums. Tom Gates est la première série de livres qu'elle écrit et illustre pour des enfants plus grands. Cette série a remporté des prix prestigieux, dont le prix Roald Dahl et d'autres prix en Angleterre. Ces livres sont traduits en quarante et une langues dans le monde entier !

Garde tes YEUX DE LYNX bien ouverts pour les autres livres de la série TOM GATES !

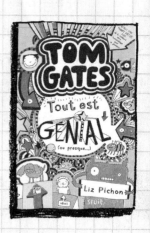

Il y en a tellement !

NOUVEAU
LIVRE

Achevé d'imprimer en septembre 2018
par Normandie Roto Impression s.a.s.
à Lonrai
N° d'impression : 1802538
Dépôt légal : septembre 2018.

Imprimé en France